Camau Cyntaf trwy Brofedigaeth

Sue Mayfield

Addasiad Cymraeg gan Gwilym Wyn Roberts

CYHOEDDIADAU'R
GAIR

Diolchiadau

Fe hoffwn ddiolch yn ddiffuant iawn i ddau o'm cyfeillion agos am eu cymorth amhrisiadwy yn fy ymgais i gyfieithu'r llyfr hwn i'r Gymraeg. Bu'r Parchedig Euros Jones Evans yn cywiro fy ymdrechion sigledig bennod wrth bennod dros gyfnod o wythnosau. Bu ei gefnogaeth a'i sylwadau adeiladol a'i ymatebion prydlon yn galondid i fi gwblhau'r dasg. Gofynnais i Mr John Evans, Clydach i fwrw golwg dros y gwaith cyn ei anfon i'r wasg a gwnaeth hynny o fewn ychydig o ddyddiau. Cefais yr hyfrydwch o gydweithio â'r ddau ar ddechrau fy ngyrfa fel athro Mathemateg yn Ysgol Gyfun Ystalyfera ac Ysgol Gyfun Llanhari nôl yn yr wythdegau. Mae'r ddau wedi cyfrannu yn helaeth iawn fel Penaethiaid Y Gymraeg nid yn unig i ddysgu'r iaith i'w disgyblion ond hefyd i feithrin parch arbennig at ein hiaith a'n llenyddiaeth.

Hoffwn gydnabod parodrwydd a charedigrwydd yr awdures Sue Mayfield a chwmni cyhoeddi Lion Hudson, Rhydychen wrth ganiatáu'r cyfieithiad hwn o lyfryn hynod werthfawr i'r rhai sy'n wynebu profedigaeth.

Bu'r Parchedig Aled Davies yn gefnogol iawn i'r fenter o'r cychwyn ac ar hyd y daith. Rydym fel cenedl yn dra dyledus iddo am ei lwyddiant ysgubol wrth hybu cyhoeddi cynifer o lyfrau Cristnogol dros y blynyddoedd. Diolch hefyd i Rhys Llwyd am gysodi'r gyfrol.

Gwilym Wyn Roberts
Caerdydd

Haf 2019

Cynnwys

Rhagymadrodd

Mae pawb ohonom, rywdro neu'i gilydd yn ystod ein bywydau, yn wynebu profedigaeth. Er bod colli rhywun annwyl i chi a galaru amdanynt yn ddigwyddiad cyffredin ac anorfod fel rhan o'n bywyd fel pobl, y mae cael y profiad o brofedigaeth lem yn gallu bod fel uffern.

Gall profedigaeth:

- eich ynysu a gwneud i chi deimlo yn unig iawn
- achosi cymysgwch dryslyd o deimladau nad ydym yn eu deall
- effeithio arnoch ar wahanol lefelau – yn gorfforol, yn seicolegol, yn gymdeithasol, yn ysbrydol ac yn emosiynol
- fod yn anodd iawn i chi drafod eich teimladau gyda phobl eraill

Y mae'r ffordd rydym yn ymateb i brofedigaeth yn wahanol i bob un ohonom. Y mae ein hymateb ni yn bersonol ac yn unigryw. Does dim un ffordd arbennig o ymdopi â'r profiad ysgytwol a does dim rheolau pendant a chlir i wybod beth sy'n ymateb 'normal' a derbyniol i bawb ohonom. Os ydych yn wynebu profedigaeth:

- Efallai y byddwch yn teimlo bod eich bywyd allan o reolaeth ac anodd iawn yw ymdopi a gwneud rhai pethau arferol.

- Efallai na fydd gennych unrhyw awydd i fwyta dim, ac yn ei gael hi'n anodd gwneud penderfyniadau, yn teimlo euogrwydd, ac yn ymdeimlo ag elfen o ddicter.

Ond mae'n debygol hefyd:

- Y byddwch yn ymdeimlo â gwacter a blinder, tasg anodd yw codi o'r gwely yn y bore, byddwch yn teimlo'n ddryslyd neu byddwch yn teimlo yn euog os yw eich emosiynau wedi eu parlysu neu yn ddideimlad.

- Efallai byddwch yn llwyddo i gario ymlaen fel o'r blaen ac yn cael eich canmol gan eraill eich bod yn ymddangos eich bod yn ymdopi mor dda dan yr amgylchiadau, ac eto, yn breifat, mae eich bywyd ar chwâl.

- Efallai byddwch yn meddwl pa bryd bydd effaith y brofedigaeth yn eich bwrw go iawn, gan nad ydych yn iawn sylweddoli beth yn union sydd wedi digwydd a beth yw goblygiadau hynny.

Sut bynnag, y mae profedigaeth yn mynd i effeithio ar eich bywyd. Y mae hynny yn anorfod. Does dim osgoi hynny. Efallai bydd eich profedigaeth yn creu anhrefn poenus ac yn eich llorio yn llwyr. Y mae'n bosib bydd ffrindiau da yn eich cymell i geisio symud eich meddwl er mwyn lleddfu'r boen fewnol am ysbaid, ond yn anffodus ni all neb arall alaru yn eich lle chi.

Beth mae pobl yn ei ddweud:

Mae ceisio ymdopi gyda phrofedigaeth yn debyg i rywun sy'n ceisio dofi ceffyl gwyllt am y tro cyntaf . . . Y cyfan y gallwn ei wneud yw cydio yn dynn wrth y mwng orau y gallwn. A gobeithio yn fawr na fyddwn yn cael ein taflu i'r llawr.
Virginia Ironside

Felly beth yw gwerth y llyfr hwn i chi?

Er nad os modd osgoi profedigaeth, y mae camau ymarferol y gallwch eu cymryd er mwyn gofalu amdanoch chi eich hun wrth i chi fynd trwy'r broses boenus. Y mae rhai pethau y gallwch eu gwneud, neu osgoi eu gwneud, a fydd o bosib yn lleddfu ychydig ar y boen ac yn eich galluogi i oddef y profiadau hiraethus ychydig yn well.

Efallai, wrth i chi ddeall yn well yr hyn rydych chi yn mynd drwyddo ar hyn o bryd, ac o ddarllen am sefyllfa pobl eraill sydd wedi gorfod wynebu colledion tebyg i'ch un chi, y byddwch yn elwa ar hynny ac y byddwch, gobeithio, yn teimlo yn llai unig ac yn llai ynysig. Ni all llyfr fel hwn atal y poenau rydych yn eu dioddef ond gall fod o gymorth i chi ymgodymu yn well â'r sefyllfa rydych yn ei hwynebu ar hyn o bryd. Efallai bydd yn eich atal rhag arteithio eich hun yn feddyliol a gall fod yn ganllaw gwerthfawr rhag i chi ddadansoddi eich sefyllfa mewn modd a all fod yn niweidiol i chi yn bersonol ac i'ch teulu.

Ar gyfer pwy mae'r llyfr hwn?

Y mae *Camau Cyntaf trwy Brofedigaeth* ar eich cyfer chi os ydych yn wynebu profedigaeth ar hyn o bryd neu wedi bod trwy brofedigaeth yn y gorffennol. Yn llyfr John Bunyan *Taith y Pererin* y mae'r teithiwr yn gorfod wynebu llawer o anawsterau ar ei daith. Yn union felly y mae ein bywydau ni. Efallai y byddai o gymorth i chi feddwl am y llyfr hwn fel cyfres o gamau dros y cerrig rhyd a fydd yn eich helpu i osgoi disgyn i drafferthion peryglus a niweidiol cyfnod eich galaru. Er bod nifer o gamau y dylech eu hystyried yn y penodau hyn yn y llyfr hwn nid oes angen i chi eu darllen yn eu trefn. Efallai y byddai'n fanteisiol i chi ddewis darllen pennod benodol yn ôl eich angen yn hytrach na dewis darllen y llyfr o glawr i glawr – yn arbennig os yw canolbwyntio ar ddarllen yn anodd i chi mewn cyfnod mor dymhestlog ac ansicr. Y mae profedigaeth yn gallu drysu ein bywyd mewn gwahanol ffyrdd a gobeithio bydd y llyfr hwn o gymorth i chi ar rai adegau ond efallai y bydd yn aflonyddu arnoch ar adegau eraill. Os yw hynny yn wir yn eich achos chi, dwi'n ymddiheuro am hynny. Fy ngobaith yw bydd y llyfr hwn yn eich helpu mewn rhyw fodd.

- Gobeithio yn fawr y bydd yn gwmni i chi fel bydd yr ymdeimlad o rannu galar yn lleddfu rywfaint ar eich profiad o unigrwydd a cholled.

- Gobeithio y bydd fel angor i chi gydio yn dynn wrtho o bryd i'w gilydd yng nghanol eich dryswch.

- Gobeithio y bydd o gymorth i chi deimlo yn llai ansicr wrth i chi gael cadarnhad fod eich profiadau chi yn rhai hollol normal a dealladwy.

Efallai y bydd y llyfr yn rhoi gwell dealltwriaeth i chi o'ch agwedd neu o ymddygiad pobl eraill. Y mae galar yn brofiad unigryw i bawb, ond mae y rhan fwyaf ohonom yn gallu rhannu ein colled gydag aelodau'r teulu. Gall deall sut mae teuluoedd yn cefnogi a chynnal ei gilydd fod o gymorth i chi ymlwybro ymlaen trwy'r dryswch.

Gall y llyfr hwn fod yn ganllaw gwerthfawr hefyd os ydych chi yn ceisio cynorthwyo rhywun arall yn eu profedigaeth, efallai fel ffrind, cymydog neu fel cydweithiwr, neu fel gwrandäwr neu fel un sy'n cynghori neu gwnsela. Y mae'r adran *Ar gyfer y teulu* yn rhoi awgrymiadau sut y gallwch fod o gymorth a hefyd sut i osgoi'r perygl o wneud pethau yn waeth nag ydynt.

Y Golled

Yn arferol, cysylltwn y gair 'profedigaeth' gyda marwolaeth perthynas neu ffrind. Ond y mae colledion eraill fel pan fo perthynas â rhywun yn dirwyn i ben trwy ysgariad er enghraifft, colli swydd, symud tŷ, llawdriniaeth i dynnu allan rhan o'ch corff oherwydd effaith cancr neu gael eich amddifadu o berthynas arferol gyda rhywun agos oherwydd effaith creulon dementia. Y mae'r rhain oll yn brofiadau tebyg iawn i brofedigaeth. Canolbwyntia'r llyfr hwn yn bennaf ar effaith profedigaeth ar ôl colli rhywun annwyl trwy farwolaeth ond fe all fod yn ddefnyddiol os ydych yn wynebu colledion o fathau eraill.

Y mae colli rhywun annwyl i ni yn aflonyddu yn ddirfawr ar ein bywyd. Pan nad ydynt yn gwmni dyddiol i ni ddim mwyach, rydym yn naturiol yn ymdeimlo â gwacter oherwydd eu habsenoldeb. Yn naturiol, rydym yn hiraethu oherwydd y golled. Rydym wedi ein hamddifadu o'r berthynas agos oedd rhyngom. Rydym yn colli y cyfan yr oeddent yn ei olygu i ni. Y mae'n debygol y bydd rhaid i ni wynebu nifer o newidiadau sylweddol yn ein bywyd fel canlyniad i'r brofedigaeth, ac mae ein colled o'r bywyd agos oedd gennym gyda'n gilydd yn dwysáu yr ymdeimlad dwfn o'n colled. Pan fo rhywun yr ydym yn eu hadnabod yn marw, deuwn wyneb yn wyneb â'n meidroldeb ni ein hunain a chawn ein hatgoffa y byddwn ni ac eraill yr ydym yn eu caru yn gorfod wynebu diwedd ein hoes ni pan ddêl yr amser. Mewn diwylliant sydd ar y cyfan yn anwybyddu realiti marwolaeth, cawn ein hunain mewn sefyllfa dyner a heriol.

Lle bynnag yr ydych, sut bynnag rydych yn teimlo, a beth bynnag yw eich amgylchiadau ar hyn o bryd, dwi'n dymuno yn dda i chi. Dwi'n gobeithio bydd *Camau Cyntaf trwy Brofedigaeth* yn eich cynorthwyo i ddarganfod yr hyn sydd orau ar eich cyfer chi ac y byddwch yn gallu gweithredu hynny yn ymarferol.

Chwalu'r Myth

Y mae pawb sydd mewn profedigaeth yn mynd trwy'r un camau o alaru.

Y mae arbenigwyr proffesiynol sy'n ymdrin â phrofedigaethau wedi canfod camau neu gyfnodau amrywiol y bydd rhywun sy'n wynebu colled oherwydd marwolaeth yn debygol o'u hwynebu. Y mae sawl patrwm yn bosibl.

Disgrifia Colin Murray Parkes bedwar cam posibl:

- Y teimlad eich bod wedi eich parlysu
- Hiraethu
- Ymdeimlo ag anhrefn
- Yr angen am adferiad

Y mae Elizabeth Kubler-Ross yn olrhain pum cam yn y broses:

- Gwadu'r digwyddiad
- Dicter
- Bargeinio
- Digalondid
- Derbyn y sefyllfa

Defnyddia'r rhai sy'n cwnsela y tri cham hyn:

- Dod i delerau â'r sioc
- Yr angen i addasu eich bywyd
- Ailgydio mewn bywyd

Efallai bod rhai elfennau o'ch profiad personol yn cyfateb i un neu ragor o'r canllawiau hyn.

Ond efallai na fyddwch chi eich hunan yn byw trwy'r camau hyn sydd wedi eu hawgrymu. Ac efallai na fyddwch chi o reidrwydd yn eu hwynebu mewn unrhyw drefn neilltuol neu resymegol.

Efallai bydd ymwybyddiaeth o'r camau hyn yn eich helpu i sylweddoli mai normal a chyffredin yw eich emosiynau cymysg. (Y mae'r camau yn ceisio disgrifio canllawiau defnyddiol i'ch helpu i wneud rhywfaint o synnwyr o'ch teimladau.)

Ar y llaw arall, efallai y bydd ymwybyddiaeth o'r camau hyn yn dwysáu eich pryder. 'Dylwn i fod wedi cyrraedd cam Digalondid erbyn hyn ond dwi'n dal i deimlo Dicter . . . Roeddwn yn tybio fy mod wedi cyrraedd cam Adferiad ond dwi'n cael fy hun yn parhau i hiraethu.'

Felly, yr hyn sy'n hanfodol i chi ei sylweddoli yw . . .

Bod pawb yn wahanol. Os nad yw eich profiad chi yn eich profedigaeth bersonol yn ffitio mewn i unrhyw batrwm penodol, da chi, peidiwch â phoeni am hynny. Nid yw hynny yn golygu nad ydych yn berson normal. Yn syml, mae'n golygu mai chi yw *chi*. Dewiswch eich llwybr eich hunan.

Pennod 1
Yr effaith cychwynnol

Pan fo rhywun yn marw, yr ydym yn adweithio mewn llawer o ffyrdd gwahanol. Os ydym wedi bod yn dyst i farwolaeth rhywun neu os cawn wybod am y digwyddiad oriau neu ddyddiau wedyn, bydd ein hymateb cychwynnol yn un cymhleth ar wahanol haenau. Beth oedd eich ymateb cyntaf? Sut gwnaethoch chi dderbyn y newyddion trist?

Sioc

Os oedd rhywun wedi marw yn sydyn ac yn annisgwyl – mewn damwain car, er enghraifft, neu oherwydd cyflwr meddygol fel trawiad ar y galon neu strôc nad oedd neb wedi ei rhagweld – mae'n debygol iawn eich bod wedi cael sioc oedd wedi eich ysgwyd a'ch llorio. Efallai eich bod wedi ei chael hi'n anodd prosesu'r newyddion syfrdanol ac yn methu gwneud unrhyw synnwyr o realiti'r sefyllfa ar y pryd. Efallai eich bod wedi eich amddifadu o unrhyw emosiwn amlwg ac yn teimlo eich bod wedi eich parlysu neu wedi eich rhewi yn emosiynol ac yn feddyliol yn y fan a'r lle.

Yr hyn mae pobl yn ei ddweud.

> *Fe wnes i golli rywfaint o reolaeth ar bethau – roedd fy nheimladau wedi rhewi . . . Fe wnes gau fy hun ynof fi fy hun. Roedd fel petawn yn gaeth o fewn cwmwl o'm cwmpas. Teimlais fod fy nghlustiau ar gau i bopeth arall . . .*
> Profiad Dave a Jackie, ar ôl iddynt glywed fod eu mab, oedd yn aelod o'r fyddin, wedi cael ei ladd.

Os yw rhywun yn marw ar ôl salwch hir, y mae'r ymdeimlad o sioc yn cael ei leddfu i raddau. Rydych wedi bod yn hanner disgwyl yr hyn ddigwyddodd yn y diwedd. Efallai bod y meddygon a'r nyrsys wedi ceisio eich paratoi ar gyfer y gwaethaf, yn disgrifio beth oedd effaith tebygol y salwch ar y claf a'r gofal y byddai yn cael ei gynnig o ran rheoli rhywfaint ar y poenau corfforol ac ymdrin â'r sumtomau. Os oedd marwolaeth yn dirwyn y poenau i ben wrth i ansawdd bywyd y claf ddirywio yn enbyd, efallai bod hyn yn elfen o ryddhad, fel sefyllfa un sydd wedi cyrraedd diwedd y daith ar ôl siwrne helbulus a diflas. Er hynny, y mae moment y farwolaeth – bod y diwedd wedi dod – yn gallu achosi elfen o sioc i'r teulu agosaf. Efallai eich bod wedi osgoi meddwl am y diwedd hwn, gan obeithio y byddai rhyw wellhad yn bosibl ryw fodd neu'i gilydd yn groes i'r rhagolygon meddygol – rhyw fath o welliant gwyrthiol – ac yna chwalwyd eich holl obeithion yn llwyr.

Gall sumtomau corfforol ymddangos o ganlyniad i sioc:

- Y frest yn tynhau
- Anadl yn brin
- Trafferthion wrth lyncu
- Colli archwaeth am fwyd
- Ei chael hi'n anodd cysgu yn esmwyth

A ydych yn ymwybodol o rai o'r effeithiau hyn ar eich bywyd chi ar ôl y sioc?

Chwalu'r Myth

Y mae rhywbeth o'i le arna i oherwydd bod fy nheimladau yn rhy oeraidd a gwrthrychol yn fy ymateb i'r hyn sydd wedi digwydd...

Y mae'r ymdeimlad eich bod wedi eich parlysu neu fod eich teimladau wedi eu rhewi a'ch bod yn teimlo rhyw arwahanrwydd o'r realiti yn ystod y dyddiau neu wythnosau cynnar yn rhywbeth reit gyffredin a normal.

Teimladau cymysg

Y mae'r amgylchiadau ac oedran yr ymadawedig yn ffactorau sy'n effeithio ar eich ymateb ar y dechrau. Os yw rhywun wedi marw yn ifanc, efallai bydd gennych ymdeimlad o anghyfiawnder hynny, a bod potensial bywyd wedi ei wastraffu a bod cyfleoedd wedi eu colli. Efallai mai eich ymateb cyntaf oedd *Tydi hyn ddim yn deg!* Os yw rhywun yn marw yn eu naw degau ar ôl bywyd llawn a llawen, y mae'n haws deall a derbyn y sefyllfa gan fod marwolaeth ei hun yn rhywbeth naturiol i bawb ohonom, ac efallai yn wir i chi ddweud *Fe gafodd hi/fo oes dda.* Ar y llaw arall, os oedd y person yna yn hen fam-gu i chi – yn graig gadarn a chnewyllyn y teulu, a oedd wedi bod yn gefn arhosol i chi ar hyd eich bywyd – yna efallai y bydd eich ymdeimlad â'r elfen o sioc yn eich llorio o sylweddoli na fydd hi yno yn gwmni nac yn gefn i chi byth mwy.

Os yw rhywun yn weddw i ŵr oedd wedi marw mewn damwain wrth ddringo llethr rhyw fynydd, efallai y bydd hi yn derbyn cysur o wybod ei fod wedi marw wrth wneud yr hyn oedd yn rhoi pleser a boddhad mawr iddo a bod yr elfen o risg wrth ddringo yn rhan hanfodol o'r boddhad yn ei anturiaeth. Ar y llaw arall, efallai bydd ei weddw yn ddig – *fe ddwedais wrtho am beidio â mynd i ddringo pan oedd y tywydd yn anffafriol.* Y mae'n bosibl y bydd y weddw yn gweld bai yn gymysg ag elfen o feio ei hunan. Ond beth pe baent wedi cweryla â'i gilydd cyn i'w gŵr ymadael i ddringo a'u bod wedi gwahanu ar delerau gwael heb ffarwelio â'i gilydd hyd yn oed? Efallai bydd y weddw yn edifar ac yn gofidio yn fawr oherwydd eu bod wedi cweryla â'i gilydd cyn i'w gŵr ymadael.

Os yw person wedi cyflawni hunanladdiad, y mae llu o gwestiynau yn codi sy'n gymysgwch o ddicter, siomedigaeth, brad a diymadferthedd sy'n anodd iawn ymgodymu â nhw yn enwedig i'r rhai sydd wedi eu gadael ar ôl.

'Mi roedd o'n golygu'r cyfan i fi . . .'

Y mae'r ergyd o ganlyniad i farwolaeth rhywun, yn y tymor byr ac yn y tymor hir, yn dibynnu ar:

- Pa mor agos yr oeddech chi yn eich perthynas â'r ymadawedig
- Pa mor bwysig yr oedden nhw yn eich bywyd
- Pa mor fawr oedd eu rhan nhw yn eich bywyd beunyddiol

Yn arferol, y mae colli eich cymar neu eich plentyn yn fwy o ergyd o lawer na marwolaeth cefnder neu fodryb oedrannus. Ond os oedd gennych berthynas agos â'ch cefnder ers dyddiau eich plentyndod a'ch bod wedi parhau yn agos ar hyd eich oes, yna bydd eu marwolaeth yn golled ddifesur. Os oedd eich modryb oedrannus yn berson yr oeddech chi wedi ymddiried ynddi ac wedi derbyn o'i hymgeledd ar ôl ysgariad eich rhieni neu os mai hi oedd wedi eich cynorthwyo yn ariannol pan oeddech chi mewn dyled, neu os mai hi oedd y berthynas olaf o blith cenhedlaeth eich rhieni, yna bydd ei marwolaeth hi yn golled fawr iawn i chi yn bersonol.

Efallai nad oedd y person a fu farw yn perthyn i chi o gwbl nac yn ffrind agos i chi. Efallai eu bod wedi cydweithio â chi, rhywun yr oeddech chi wedi rhannu swyddfa â nhw am flynyddoedd lawer a bod rhai o'u harferion nhw wedi aflonyddu arnoch bob dydd, ond er hynny roedden nhw yn rhan anhepgor o'ch bywyd ac mae eu colli yn gadael bwlch sylweddol yn eich bywyd.

Y mae ansawdd ac agosatrwydd eich perthynas â'ch gilydd yn ffactor pwysig:

- Os oedd eich perthynas yn un agos neu a oedd peth pellter rhyngoch
- Os oedd peth tyndra rhyngoch a oedd yn gwneud y berthynas yn anodd ar adegau

Er enghraifft, gall marwolaeth ffrind arbennig yr oeddech yn ei nabod yn dda a chithau wedi rhannu cyfnodau dedwydd a thrist gyda'ch gilydd effeithio arnoch chi lawer mwy na marwolaeth brawd i chi nad oeddech wedi ei weld ers tro byd. Ar y llaw arall, gall colli brawd felly gychwyn cyfnod ble rydych yn edifar ac o bosib yn beio eich hun. *Sut gwnaethom ni bellhau oddi wrth ein gilydd? Ai arna i oedd y bai? A allai pethau fod yn wahanol?*

Gyda marwolaeth babi yn fuan wedi ei eni neu ei golli wrth ddisgwyl bydd poen y golled yn cael ei ddwysáu gan ergyd y siom gan nad oedd cyfle i chi ddod i nabod y babi fel person. Efallai y bydd eich galar yn anweledig, yn arbennig o golli plentyn yn y groth. Efallai y bydd eich colled yn anweledig ac yn anwybodaeth i eraill, neu fod y golled yn cael ei dibrisio gan sylwadau difeddwl pobl: *Wrth gwrs fe allwch chi roi cynnig ar gael plentyn arall.*

Efallai bod y person a fu farw yn agosach atoch chi na neb arall yn y byd. Efallai bod eich perthynas â'ch gilydd dros y blynyddoedd wedi bod yn un gyfrinachol; os felly, fe ellwch deimlo yn fwy ynysig yn eich galar gan nad ydych am i'ch colled bersonol fod yn hysbys i'r cyhoedd.

Bywyd a marwolaeth

Pan fydd rhywun wedi marw, y mae'n debygol y byddwch yn meddwl am bethau nad oeddech wedi eu hystyried o'r blaen. Efallai y byddwch yn gorfod ymdopi gyda rhai cwestiynau athronyddol dwys, ac yn holi eich hun beth yn union yr ydych chi yn ei gredu. Y mae'r hyn yr ydych chi yn ei feddwl am farwolaeth yn dylanwadu ar y modd y byddwch yn ymdopi â'ch profedigaeth. Er enghraifft, os ydych yn meddwl am farwolaeth fel y terfyn i bopeth, bod bywyd wedi ei ddiffodd yn llwyr – fel torri cyswllt cordyn neu fod golau wedi ei ddiffodd yn llwyr – neu eich bod yn meddwl am farwolaeth gorfforol fel cam i fath newydd o fywyd – sef bywyd ar ôl marwolaeth. Os oedd yr ymadawedig wedi dioddef yn enbyd ac wedi dioddef poenau arteithiol ar ddiwedd oes, efallai y byddwch yn ystyried marwolaeth fel rhyddhad ac yn fynedfa i orffwys i gwsg a thangnefedd o boenau'r byd a'i freuder. Os ydych yn credu yn Nuw ac mewn nefoedd efallai y byddwch yn gofidio i ble y maen nhw wedi mynd.

Y mae cred ac argyhoeddiadau'r ymadawedig yn rhywbeth y byddwch yn meddwl amdano:

- Beth roedden nhw yn ei gredu oedd yn mynd i ddigwydd iddyn nhw ar ôl marw
- Oedden nhw wedi ymladd yn erbyn marwolaeth neu wedi ei wynebu yn dangnefeddus
- Oedden nhw yn barod i ymadael â'r byd hwn, ac wedi siarad am farwolaeth ac wedi cynllunio ar ei gyfer

Y mae'r teimlad bod rhywun wedi 'croesi yn dawel' yn gallu lleddfu elfen o'r sioc a'r sylweddoli na fyddant gyda chi ddim mwy yn y byd hwn. Sut bynnag byddwch yn rhesymu ynghylch yr hyn sydd wedi digwydd – yn ysbrydol neu yn fiolegol neu yn ddiwinyddol neu yn ddirfodol – yr un peth yw realiti'r sefyllfa:

- Mi roedd bywyd; nawr rhaid wynebu marwolaeth.
- Roedden nhw yma yn gorfforol; nawr maen nhw yn absennol.

Gall gymryd cryn amser i chi dderbyn a sylweddoli realiti eich sefyllfa newydd. Y mae'r ymateb cychwynnol o deimlo nad yw hyn yn wir, y mae'n anghredadwy ac annerbyniol, efallai y byddwch yn teimlo eich bod wedi eich parlysu fel rhan o'r sioc. Ar y llaw arall, efallai y byddwch yn teimlo yn hynod egnïol, ac yn fwy effeithlon nag arfer o fewn oriau a dyddiau ar ôl marw eich anwylyd. Mae'r adweithiau hyn yn rhan o'r ffordd mae eich corff yn delio gyda'r sioc.

Beth mae pobl yn ei ddweud:

Mae gan y corff allu mecanyddol anesthetig sydd yn ein hamddiffyn rhag effaith y tonnau o deimladau ac emosiwn a all wthio ein pwysau gwaed a churiad eich calon i lefelau peryglus.
Dr Tony Lake

Chwalu'r Myth

Y mae'r ffaith nad wyf yn teimlo'n emosiynol ar y foment yn golygu nad yw marwolaeth y person yn effeithio llawer arnaf a dwi'n ymdopi yn iawn...

Efallai bod eich teimladau o ymbellhau o realiti'r sefyllfa yn rhan o adwaith y sioc sydd wedi eich taro er mwyn lleddfu peth ar yr ergyd yn nyddiau cynnar y brofedigaeth. Y mae'n bosibl y byddwch yn fwy (neu lai) emosiynol wrth i chi ddechrau ymdopi yn araf bach gydag effaith y sioc enfawr.

Pennod 2
Angladdau a phethau ymarferol

Trefnu'r angladd yw'r dasg gyntaf sy'n wynebu'r teulu ar ôl marwolaeth perthynas. Os mai chi sy'n gyfrifol am drefnu'r cyfan, gall hynny fod yn feichus i rai teuluoedd. Mae rhai teuluoedd yn falch o'r cyfle i ganolbwyntio ar yr angen i gynllunio'r pethau ymarferol ar gyfer yr angladd yn ystod dyddiau cyntaf y brofedigaeth. Mae eraill yn ystyried trefnu'r angladd fel cam angenrheidiol i'w groesi cyn bod y teulu yn cael llonyddwch i alaru go iawn.

Beth mae pobl yn ei ddweud:

Mae dydd yr angladd yn gallu bod yn feichus oherwydd nifer y bobl sydd wedi dod i'r angladd, a'r angen i ysgwyd llaw gyda nhw i gyd a cheisio cofio pwy yw pwy. Ni fydd yr ymadawedig yn marw'n go iawn tan yfory, pan fydd llonyddwch a thawelwch yn eich amgylchynu eto.
Antoine de Saint-Exupery

Gwneud penderfyniadau

Mae llawer iawn o benderfyniadau i'w gwneud mewn cyfnod pan nad ydych yn teimlo fel gwneud unrhyw benderfyniad o gwbl. A ydych am ddewis claddu neu amlosgi? Os claddu, yna ym mha le? A ydych am ystyried claddu mewn mynwent capel neu eglwys, neu mewn mynwent gyhoeddus neu mewn llain goediog? Os ydych yn dewis amlosgi, yna beth rydych chi am ei wneud gyda'r llwch? Pwy fydd yn cymryd yr angladd, ai gweinidog neu ficer neu arweinydd mewn sefydliad arall, neu a ydych am seremoni ddyneiddiol? Beth rydych chi am ei gynnwys yn y gwasanaeth? A ydych am gynnwys darlleniadau, teyrngedau, emynau, cerddoriaeth a gweddïau?

Pwy fydd yn dweud beth, a sut byddwch yn penderfynu pwy i ofyn iddo i gymryd rhan? A ydych am gael gwasanaeth byr a syml neu rywbeth mwy cynhwysfawr?

Fel gyda llawer o'r elfennau mewn profedigaeth, nid oes rheolau pendant – dim ffordd iawn nac anghywir o drefnu'r angladd – ac, yn gynyddol, mae teuluoedd yn teilwra'r gwasanaeth yn ôl eu dymuniadau eu hunain, eu cred, a'u gwerthoedd personol. Ond gall y fath ystod o opsiynau niferus beri dryswch ar y pryd.

Os mai chi sy'n gyfrifol am drefnu'r angladd, efallai bydd y cwestiynau canlynol yn hwyluso'r ffordd i chi wneud eich penderfyniadau.

Beth yw pwrpas cynnal angladd?

Ai ei brif bwrpas yw dathlu bywyd person – yn gyfle arbennig i'r teulu a chydnabod i rannu atgofion gwerthfawr ac i ddiolch am fywyd yr ymadawedig? Neu ai cyfle ydyw yn anad dim i alaru a rhannu eich siom a'ch tristwch gydag eraill? Oherwydd fel arfer y ddau fel ei gilydd, mae'n gynyddol gyffredin ymhlith rhai teuluoedd y dyddiau hyn i drefnu dau achlysur – y claddu neu amlosgi ac yna gwasanaeth o ddiolchgarwch neu wasanaeth coffa yn ddiweddarach. Mae rhai yn cynnal y ddau achlysur ar yr un dydd tra bo eraill yn gohirio'r gwasanaeth coffa am wythnosau neu fisoedd ar ôl yr angladd.

Ar gyfer pwy mae'r angladd?

Ai er mwyn cofio am yr ymadawedig, neu ar gyfer y teulu a'r cyfeillion sy'n galaru oherwydd eu colled? A ddylid canolbwyntio ar gymeradwyo'r ymadawedig i'r byd a ddaw (gan gymryd eich bod yn credu yn hynny), ar ddweud ffarwel, neu a ddylid canolbwyntio ar gysuro'r teulu sydd ar ôl yn eu colled? Pwy sy'n debygol o fod yn yr angladd, a sut byddan nhw'n debygol o deimlo ar y dydd?

Beth oedd dymuniadau'r un sydd wedi marw?

A adawon nhw unrhyw gyfarwyddyd ynglŷn â pha fath o angladd y bydden nhw yn ei ddymuno? A oedden nhw wedi mynegi unrhyw farn bendant am angladdau pobl eraill roedden nhw wedi eu mynychu? Beth fyddai'r peth mwyaf priodol dan yr amgylchiadau? Beth fyddai'n adlewyrchu orau gymeriad a gwerthoedd yr ymadawedig?

Gall gweithredu yn ôl dymuniadau'r un a fu farw ynglŷn â'u cynlluniau angladd fod yn weithred olaf o dynerwch, ond mae'n bwysig iawn hefyd eich bod yn ystyried eich anghenion personol a beth yw goblygiadau'r penderfyniadau rydych yn eu gwneud yn fuan ar ôl marwolaeth rhywun. Er enghraifft, os claddu yw eich dewis, a fydd hi'n gyfleus i chi ymweld â'r bedd yn y dyfodol? Os amlosgi yw eich dewis, a ydych am gladdu'r llwch mewn lle penodol neu ei wasgaru mewn lle arbennig o'ch dewis? I rai pobl, mae mynd i le arbennig ar gyfer y llonyddwch i alaru neu yn syml i gofio'r person sydd wedi marw yn gallu bod o gymorth i chi yn ystod y misoedd a'r blynyddoedd cyntaf ar ôl y golled. I eraill, ni fydd hyn mor bwysig â hynny. Os ydych wedi cael colled yn ddiweddar, efallai bydd yn anodd i chwi wybod sut y byddwch yn teimlo ymhen dwy, pump neu ddeng mlynedd, felly peidiwch â rhuthro i wneud unrhyw benderfyniad cyflym y byddwch yn edifaru ei wneud yn y dyfodol.

Help!

Mae cyngor ymarferol da am opsiynau a threfniadau ar gyfer angladdau, gan gynnwys costau y gellir eu cymharu, ar y wefan www.ifishoulddie.co.uk a www.dying.about.com (dilynwch y linc 'Grief and Mourning: What's Normal?' i'r erthygl 'How to Plan a Funeral or Memorial Service').

Mae'r llyfr *We Need to Talk About the Funeral: 101 Practical Ways to Commemorate and Celebrate a Life* gan Jane Morrell a Simon Smith yn cynnwys nifer o syniadau defnyddiol a gwybodaeth werthfawr.

Gall angladdau fod yn gostus iawn

Mae adran ardderchog ar 'Benefits for Bereaved People' (dilynwch y linc o 'Benefits & Finance' ar www.patient.co.uk). Hefyd mae gwybodaeth dda iawn ar brofedigaeth ac ewyllysiau ar wefan Llywodraeth Seland Newydd: newzealand.govt.nz (teipiwch 'bereavement and wills' yn eich ymholiad).

Cyswllt â'r corff

Cyn cyrraedd dydd yr angladd bydd angen i chi wneud penderfyniadau am gorff yr ymadawedig. Os nad oeddech yno pan fu'r person farw, efallai eich bod am weld y corff. A ydych am i'r plant ddod gyda chi i weld y corff? Mae pawb yn ymateb yn wahanol i hyn. Efallai bydd rhai yn dweud, 'Dw i ddim am weld y corff. Gwell gen i ei gofio pan oedd yn fyw.' Bydd eraill yn dweud, 'Dw i angen gweld y corff er mwyn sylweddoli realiti'r farwolaeth – rhag ofn y byddaf yn fy nhwyllo fy hun nad yw wedi marw mewn gwirionedd.'

Os mai eich plentyn neu eich partner sydd wedi marw – rhywun roeddech yn agos iawn atynt lle roedd cyffyrddiadau yn rhan naturiol o'ch perthynas â'ch gilydd – efallai yn wir y byddwch am gyffwrdd a gafael yn yr un oedd mor agos atoch. Yn ein diwylliant Gorllewinol tueddwn i ymddiried y cyfrifoldeb o ofalu am y corff i'r ymgymerwr, sydd fel arfer yn mynd â'r corff gydag ef heb oedi, ac o ganlyniad i hynny ni chawn lawer o gysylltiad â marwolaeth ei hun a theimlwn yn anghyffyrddus wrth ei wynebu a'i drafod pan fo'n rhaid. Mewn rhannau eraill o'r byd mae'n arferol i'r teulu gymryd cyfrifoldeb a pharatoi'r corff ar gyfer yr angladd yng nghartref y teulu – yn golchi'r corff a'i wisgo, cribo'r gwallt, tacluso'r farf ac addurno'r corff gyda gemwaith. Mae eich diwylliant a'ch credoau yn dylanwadu yn drwm ar y modd rydych yn ymagweddu at gorff yr ymadawedig. A ydych yn ystyried y corff fel cragen wag a bod hanfod y person – ei enaid neu ei ysbryd – yn awr yn rhydd ac yn bodoli mewn man arall? Neu a yw'r corff i'w anrhydeddu a'i anwylo mewn modd arbennig? Ai dyma eich cyswllt corfforol olaf gyda'ch anwylyd? Efallai eich bod am drysori tynerwch eu croen a'u gwallt, eu harogl arferol a'u siâp cyn hired ag sydd yn ymarferol bosibl. Chi yn unig sydd yn gwybod beth sydd fwyaf priodol i chi a beth rydych chi yn gyfforddus ag ef. Peidiwch â chael eich dylanwadu yn ormodol gan farn pobl eraill. Eich dewis a'ch sefyllfa chi sy'n bwysig ac nid beth mae pobl eraill yn ei feddwl.

Efallai'n wir nad ydych am weld na chyffwrdd â chorff yr ymadawedig.

Efallai eich bod yn rhy bell i ffwrdd. Efallai bod y person wedi marw mewn trychineb naturiol, ymosodiad terfysgwyr neu mewn brwydr filwrol, ac ni lwyddwyd i ddarganfod neu adnabod y corff. Efallai eich bod wedi colli plentyn yn y groth yn gynnar yn y beichiogrwydd

Sut mae nodi marwolaeth rhywun os nad oes corff i'w gladdu? Efallai y byddwch am ystyried trefnu math gwahanol o goffâd er mwyn i chi geisio dod i delerau â'ch galar.

Fe allwch:

- blannu coeden
- adeiladu carnedd fechan o gerrig
- gofnodi eich atgofion a'ch meddyliau ar ddarn o bapur, yna ei losgi a'i gladdu neu wasgaru'r llwch

Galar cyhoeddus

Os nad ydych wedi bod â rhan yn trefnu angladd rhywun, efallai ar ôl i chi gyrraedd yr angladd a gweld yr arch am y tro cyntaf y byddwch yn iawn sylweddoli realiti'r farwolaeth.

Mae angladdau yn achlysuron cyhoeddus. Mae'n bosibl y bydd pobl yno nad ydych wedi eu gweld ers amser hir neu rai na chwrddoch chi â nhw erioed o'r blaen. Os mai chi yw'r weddw neu'r mab neu'r ferch neu'r rhiant, yn anorfod chi fydd canolbwynt sylw pawb wrth i ddieithriaid dagreuol eich cyfarch neu eich cofleidio. Bydd rhai pobl yn awyddus i rannu storïau neu fynegi eu teimladau am yr ymadawedig. Efallai y gall eu geiriau eich gorlethu ar y pryd, ond yn ddiau gall yr hanesion a'u geiriau o ewyllys da yn yr angladd – ynghyd â'r llythyrau a'r cardiau o gydymdeimlad – fod yn ffynhonnell werthfawr o gysur i chi yn y dyddiau dyrys yn dilyn yr angladd.

Gall delio gydag emosiynau pobl eraill yn ogystal â'ch rhai chi eich hunan fod yn anodd iawn, fodd bynnag. Gan ddibynnu pa mor barod rydych chi i rannu eich teimladau, efallai eich dymuniad yw cael eich gadael i wylo ar eich pen eich hunan, neu efallai byddai'n well gennych reoli eich teimladau am y tro. Mae'n bosib y byddwch yn ymwybodol o deimladau eich plant neu eich rhieni ac yn ymdrechu felly i fod yn gryf er eu mwyn hwy. Efallai byddwch yn arswydo dangos unrhyw fath o emosiwn, rhag ofn y cewch eich gorlethu gan eich teimladau eich hunan a bair i chi golli rheolaeth lwyr ar eich teimladau. Neu efallai byddwch mewn cyflwr o syfrdandod llwyr a bydd y dydd yr ewch drwyddo yn un niwl aneglur, a llwyddwch i gyflawni'r hyn sydd angenrheidiol i'w wneud.

Chwalu'r Myth

Mae'r bobl sy'n dangos emosiwn mewn angladdau yn or-fewnblyg ac yn embaras i eraill.

Mae'n dderbyniol iawn i bobl fod yn emosiynol mewn angladdau. Bydd y rhan fwyaf o bobl yn disgwyl i chi fod dan deimlad. Efallai wrth i bobl eich gweld chi yn ddagreuol y bydd hynny yn eu galluogi nhw i wylo hefyd. Er hynny mae'n hollol dderbyniol i chi alaru yn breifat hefyd. Gwell yw i chi wneud yr hyn sy'n naturiol i chi eich hunan. Peidiwch â gofidio am yr hyn mae pobl eraill yn ei feddwl.

Pennod 3
Cadw i fynd

Mae'r mwyafrif ohonom yn cael ein haflonyddu gan unrhyw newid yn ein bywydau. Yn anorfod mae profedigaeth yn cynnwys newidiadau sylweddol – rydych yn addasu eich hun i'r realiti bod rhywun allweddol ddim yno mwyach – efallai byddwch yn teimlo eich bod am lynu yn dynn wrth bob elfen werthfawr o'ch bywyd oedd yn rhoi cysur a dedwyddwch i chi cyn hyn. Efallai y byddwch – hyd mae hynny'n bosibl – am gadw yn agos at batrymau a rhythmau eich bywyd beunyddiol oedd gennych cyn i'r person farw. Bydd parhau i wneud pethau fel mynd i'ch gwaith, mynd â'r plant i'r ysgol, mynd â'r ci am dro, mwynhau eich gweithgareddau hamdden yn gymorth i chi ymdopi gyda'r newid ar ôl i chi golli rhywun annwyl iawn i chi. Mae cadw i fynd gyda'r gweithgareddau arferol hyn fel polion sgaffaldiau sydd yn eich helpu i gynnal eich hun rhag bod bywyd yn datgymalu.

Ond cymerwch ofal. Mae bod yn or-brysur a gwthio eich hun yn ormodol fel rhan o'ch ymateb cychwynnol yn gallu bod yn anfanteisiol a gallwch deimlo'n waeth nes ymlaen yn ystod eich cyfnod o alaru.

Ydych chi yn sylweddoli pryd mae bod yn brysur yn gallu arwain i fod yn rhy brysur o lawer? Sut allwch chi ddweud y gwahaniaeth rhwng gwneud rhywbeth er mwyn symud eich meddwl a chael obsesiwn sydd ddim efallai yn llesol i chi yn y pen draw?

Pa bryd y dylwn i fynd yn ôl i'r gwaith?

Efallai, yn wir, bydd angen i chi fynd yn ôl i'ch gwaith yn fuan ar ôl yr angladd am resymau ariannol. Ond, os oes dewis a hyblygrwydd gennych o ran eich swydd, yna ystyriwch beth sydd orau i chi o ran eich amgylchiadau personol.

Beth mae pobl yn ei ddweud:

Mi es i yn ôl i'r gwaith bron yn syth. Mi roeddwn angen y cwmni a diogelwch 'y routine' ar y pryd.
Ysgrifenyddes mewn meddygfa

Mi es i yn ôl i'r gwaith yn rhy fuan ac roedd yn anodd i fi ymdopi gyda sefyllfaoedd emosiynol. Tua blwyddyn yn ddiweddarach mi es i yn dost ac roedd rhaid i fi ddibynnu ar dabledi i leddfu fy iselder.
Nyrs

Roedd gwaith wedi fy helpu i anghofio rhywfaint am bethau gartref, ond doeddwn i ddim yn gallu canolbwyntio yn dda iawn ar fy ngwaith ac roedd hi'n anodd iawn i wneud rhai penderfyniadau.
Rheolwr cwmni Technoleg Gwybodaeth

Gofynnwch i chi eich hun:

- A allaf wneud fy ngwaith yn ddiogel ac yn effeithlon?
- A ydw i yn ddigon cryf i ymdopi gyda phroblemau dyrys ac amrywiol a all godi yn y gwaith?
- A fyddai dychwelyd yn raddol neu oedi mynd yn ôl i'r gwaith wedi bod yn fwy o les i mi yn y pen draw?

Cadw i fynd

Mae codi o'r gwely yn y bore, tacluso'r tŷ, trin yr ardd, mynychu eich cyfarfodydd arferol, ymarfer corff neu wirfoddoli gyda rhyw weithgaredd elusennol yn gallu bod yn therapiwtig. Mae'n bosibl y gall gwybod y byddai'r person ymadawedig wedi dymuno i chi barhau gyda gweithgareddau fel hyn fod yn ysgogiad i chi gadw i fynd. *Byddai ddim am i fi hel meddyliau a theimlo yn hollol ddiflas... Byddai am i fi gwblhau'r gwaith ar y patio... Byddai am i fi ofalu am y geraniums!* Efallai byddwch yn cyflawni swyddogaethau newydd i chi roedd yr ymadawedig yn arfer eu cyflawni.

Os oes gennych bobl neu anifeiliaid sy'n dibynnu arnoch, byddwch yn teimlo rheidrwydd i barhau i ofalu amdanynt. Pan â plant trwy brofedigaeth, mae'n hanfodol cadw rhyw lun ar normalrwydd. Maen nhw yn barod yn ceisio ymdopi â cholli rhywun roedden nhw yn ei garu, felly os oes modd i chi barhau gyda'u gweithgareddau arferol fel mynd i nofio neu ymarferion pêl-droed neu fynychu partïon pen-blwydd eu ffrindiau, bydd hynny yn llesol ac yn fanteisiol iddyn nhw. Dylid parhau gyda'r ymdrech i gadw bywyd mor normal ag sydd yn bosibl er mwyn i'r plant deimlo yn ddiogel mewn byd sydd yn gallu bod yn ddychryn iddyn nhw oherwydd newidiadau annisgwyl sy'n effeithio ar eu bywyd.

Nôl ac ymlaen mewn galar

Mae ymchwil diweddar gan y seicolegwyr Stroebe a Schut yn tynnu sylw at y *Dual Process Model*. Maen nhw'n disgrifio galar pobl sy'n amrywio rhwng mynegi eu teimladau a'r sefyllfa ble maen nhw'n rheoli eu teimladau, ac yn canolbwyntio bob yn ail rhwng sylweddoliad dwys o'r golled a'r ymgais i adfer normalrwydd hyd mae hynny'n bosibl. Mae ymchwil Stroebe a Schut yn awgrymu bod yr amrywio rhwng galaru yn ddwys a theimlo yn fwy cysurus ar adegau yn elfennau normal ac iach, ac mae'r ymdrech i ymdaflu i gyflawni tasgau arbennig a chymryd rhan mewn gweithgareddau yn gallu bod yn gyfrwng effeithiol i'ch rhyddhau dros dro o realiti creulon eich colled.

Beth yw'r pwrpas?

Beth os yw cadw i fynd yn ymddangos yn ddibwrpas i chi? Beth os yw gwaith tŷ a dyletswyddau dyddiol yn ymddangos yn afreal ac yn amherthnasol yng nghyd-destun colli eich gŵr neu eich gwraig neu eich plentyn neu ffrind agos? Efallai byddwch yn teimlo bod siopa neu goginio neu wylio'r teledu yn annheyrngar o ganlyniad i'r brofedigaeth. *A ddylwn gael boddhad wrth wneud y pethau hyn o ystyried fy sefyllfa newydd? Sut yn y byd galla i ddiystyru'r golled wrth gario mlaen gyda dyletswyddau arwynebol bywyd beunyddiol?* Mae'n bosibl na fydd gennych yr un archwaeth i wneud y pethau roeddech chi yn arfer eu gwneud o'r blaen neu fod gwerth y gweithgareddau arferol wedi newid fel gwnaeth C.S. Lewis eu disgrifio fel undonedd anniben 'shabby flatness' wrth i chi edrych ar fywyd trwy sbectol newydd a dryslyd eich profedigaeth. Hyd yn oed os yw parhau i gyflawni eich dyletswyddau arferol yn ddiystyr a diflas mae'n ymddangos, ar y cyfan, bydd parhau i wneud hynny hyd y gallwch o gymorth i chi yn y tymor hir. Mae ymchwil yn awgrymu bod hyn yn wir am ddynion a merched, er yn gyffredinol, mae mwy o dueddiad i ddynion ymdaflu i brysurdeb eu bywyd ar ôl colli rhywun agos nag yw merched.

Llenwi'r gwacter

Os ydych wedi bod yn gofalu am rywun oedd yn wael dros gyfnod hir, mae'n debygol bydd eu marwolaeth yn golygu bod llawer o bethau oeddech yn arfer eu gwneud bob dydd fel rhan o'ch 'routine' blaenorol yn dod i ben. Efallai eich bod wedi bod yn ymweld â'r ysbyty yn rheolaidd, neu yn arfer cael ymweliadau cyson gan nyrsys Macmillan, neu eich bod wedi eich amddifadu o gwsg angenrheidiol gan eich bod wedi gofalu am y claf dros nos. Mae eu marwolaeth wedi gadael bwlch mawr yn eich bywyd, ac efallai eich bod yn teimlo bod holl fframwaith eich bywyd wedi cael ei chwalu. Efallai byddwch am geisio llenwi eich bywyd â gweithgareddau newydd er mwyn llanw'r gwacter. Ceisiwch osgoi'r temtasiwn hwn. Bydd ymuno â chymdeithasau newydd neu fabwysiadu diddordebau o'r newydd yn syniad da mewn amser, ond ceisiwch fod yn hollol onest â chi eich hun pam rydych am wneud y dewis.

- A yw'r gweithgareddau newydd yn bennaf i dynnu eich sylw oddi wrth realiti eich profedigaeth?
- A ydw i yn syml iawn yn ceisio osgoi'r unigrwydd neu'r tŷ gwag neu'r ymdeimlad o absenoldeb yr ymadawedig wrth ymdrechu i fod yn brysur trwy'r amser?

- A ydw i yn barod i ymgymryd â chyfrifoldebau ac ymrwymiadau newydd ar y cychwyn, rhag ofn y byddaf yn edifar yn nes ymlaen oherwydd bod hynny yn ormod ar y pryd ac yn sugno'r ychydig egni sydd gennych?

Chwalu'r Myth

Cadw eich hun yn brysur yw'r ffordd orau i ymdopi a'ch profedigaeth.

Fe all y prysurdeb rydych wedi ei ddewis a'r rhuthro o un peth i'r llall fod yn elfen arwynebol yn unig sydd yn eich galluogi ar y pryd i osgoi wynebu gwir realiti eich colled. Mae'r dewis yma o ymateb yn debyg i rywun sy'n pwyso'r botwm 'PAUSE' ar fideo neu DVD. Mae'n bosib bydd prysurdeb eich gweithgareddau newydd yn gyfrwng i chi ddianc o'ch tristwch a'ch unigrwydd dros dro yn unig, ond ar ôl yr ysbaid byr ni fydd 'Y TÂP' wedi symud ymlaen o gwbl a byddwch yn ôl i'r man cychwyn pryd wnaethoch chi ddewis pwyso'r botwm 'PAUSE'.

Ceisiwch ganiatáu digon o amser a chyfleoedd i chi alaru, a pheidiwch amddifadu eich hun o'r amseroedd i feddwl a myfyrio.

Anhrefn!

Mae 'routine' yn gallu eich helpu i gael rhywfaint o drefn o fewn yr anhrefn, ond efallai nad ydych yn teimlo fel gwneud unrhyw beth o ddydd i ddydd. Mae'n brofiad cyffredin i bobl sy'n wynebu profedigaeth i deimlo nad oes gwir drefn yn eu bywyd a gallant fod yn anghofus ac yn ddi-drefn, felly peidiwch â phryderu os ydych yn llai effeithlon nag arfer ac os yw tasgau syml bywyd yn rhy heriol i chi ar y pryd. Os yw cyfeillion am eich helpu trwy gasglu eich plant o'r ysgol, cerdded y ci neu siopa drosoch, da chi peidiwch â gwrthod eu cymorth. Ar ôl y brofedigaeth mae'n arferol i'r cynigion am gymorth leihau gydag amser, felly peidiwch â bod yn rhy falch i dderbyn cymorth ffrindiau a chymdogion ar y cychwyn.

A chofiwch...

Peidiwch â gwneud unrhyw benderfyniadau mawr yn fyrbwyll neu unrhyw newidiadau yn eich bywyd yn ystod yr wythnosau neu'r misoedd cyntaf ar ôl marwolaeth ddisymwth. Caniatewch ddigon o amser i chi addasu eich bywyd mewn amgylchiadau newydd a pheidiwch â rhuthro.

Pennod 4
Cymryd eich amser

Dywedais yn y bennod ddiwethaf y dylech gymryd eich amser a cheisio peidio â rhuthro. Ond pa mor hir y dylai profedigaeth barhau? Pa mor hir y dylid galaru? Beth sydd yn dderbyniol? Beth sydd yn normal? Faint o amser ddylai fod yn fy meddwl? Chwe mis? Blwyddyn? Dwy flynedd? Pum mlynedd?

Beth yw'r rheolau?

Gan mlynedd yn ôl roedd canllawiau sicrach ar sut a phryd i alaru, neu o leiaf ynglŷn â pharchu arferion ymddangosiadol profedigaeth. Roedd disgwyl i'r weddw wisgo dillad du – 'gwisgoedd galar' – am ddwy flynedd ar ôl marwolaeth ei phriod; byddai rhieni plant oedd wedi marw neu blant oedd colli eu rhieni yn gwisgo du am flwyddyn; byddai rhywun oedd wedi colli brawd neu chwaer yn gwisgo du am chwe mis. Erbyn hyn, y mae'r arferion hyn – ynghyd ag arferiadau eraill fel codi het, fel cau llenni yn ein tai, gostwng baneri – fwy neu lai wedi bron diflannu. Mae diwylliannau eraill yn ymddwyn yn ôl disgwyliadau mwy ffurfiol ar ôl marwolaeth. Yn y traddodiad Iddewig, offrymir gweddïau arbennig bob dydd am flwyddyn gyfan a llosgir cannwyll ar fachlud haul bob nos nes i'r flwyddyn ddod i ben. Mae Cristnogion Eglwys Uniongred Groeg yn offrymu gweddïau ar y trydydd a'r nawfed a'r deugeinfed dydd ac yna ar y trydydd mis, y chweched mis a'r deuddegfed mis yn dilyn y farwolaeth, ac yn flynyddol ar ôl hynny. Mae rhai diwylliannau yn nodi 'diwedd' cyfnod y galaru. Mewn ardaloedd gwledig yng ngwlad Groeg cleddir y corff mewn bedd marmor am bum mlynedd, yna mae'r esgyrn yn cael eu codi a'u hailosod ym mynwent gymunedol y pentref. Y mae'r esgyrn 'glân' yn cael eu hystyried fel arwydd bod enaid yr ymadawedig wedi ei buro ac yn gorffwys ym mharadwys.

'Dod dros y profiad'

Felly beth am ddisgwyliadau ein cymdeithas fodern, lle bydd cyflogwyr efallai yn rhoi caniatâd tosturiol i chi aros gartref o'r gwaith a bydd ffrindiau a chyd-weithwyr yn disgwyl i'ch bywyd ddychwelyd i normalrwydd o fewn ychydig wythnosau? Y mae pobl yn aml yn siarad yn nhermau 'dod dros y peth' fel petai dygymod â marwolaeth rhywun rydym yn ei garu yn debyg i ddod dros ddos o'r ffliw!

Beth mae pobl yn ei ddweud:

> *. . .y mae'r byd yn rhuthro ymlaen heb yr amynedd na'r amser i fod yn oddefgar yn rhy hir gyda ni a'n colled neu hyd yn oed i gofio pa mor ddiweddar oedd ein profedigaeth.*
> Tom Gordon, caplan hosbis

Byddai ail-addasu yn well ffordd o feddwl am brofedigaeth yn hytrach na dod dros y peth. Nid afiechydon yw colled a galar y byddwch yn gwella ohonynt mewn amser. Yn hytrach, y mae profedigaeth yn broses o ail-addasu ac aildrefnu eich bywyd heb y person rydych wedi'i golli a cheisio cadarnhau y berthynas newydd a pharhaol sydd gennych mewn marwolaeth. Y mae cyfnod y broses o geisio addasu ar ôl y brofedigaeth yn amrywio yn helaeth rhwng person a pherson.

'Pont 10-Milltir Galaru'

Y mae'r awduron Ruth Huber a Judy Bryant, wrth weithio gyda phobl mewn profedigaeth mewn hosbis yn UDA, wedi dyfeisio Pont 10-Milltir Galaru, sydd yn raddfa linol lle mai sero yw'r pwynt cyn y galaru a deg yw'r pwynt pan nad yw galaru yn brif ffocws eich bywyd bellach. Prif bwrpas yr analog gweledol hwn yw cynnig rhyw fath o hunanasesiad 'cynnydd' trwy broses profedigaeth.

Y mae nifer ohonom yn hoff o'r syniad hwn sydd ein galluogi i fesur ein cynnydd, er mwyn cael rhyw bersbectif sut rydym ni yn ymdopi wrth gymharu â phobl eraill neu 'y norm', ond efallai na fydd patrwm ein taith trwy brofedigaeth yn debyg i'r hyn sy'n ddisgwyliedig yn ôl profiadau pobl eraill yn y gorffennol. Y mae'n debygol iawn ar ôl i effaith y sioc gychwynnol ddechrau cilio y byddwch o bosibl yn teimlo yn waeth ac nid yn well. Efallai bydd y cynigion o gymorth a chefnogaeth yn brinnach nag yr oeddent yn y dyddiau cynnar ar ôl y golled. Efallai y byddwch yn teimlo yn llai cyfforddus nag yr oeddech chi gynt, ac yn awr synhwyrwch fod poen unigrwydd yn gwir frifo, fel mae anesthetig yn colli ei effaith mewn amser. Efallai y byddwch yn teimlo yn flinedig ac yn annifyr gyda phobl eraill, yn dyner eich teimladau ac yn llai abl i ymdopi gyda'r sefyllfa newydd yn eich bywyd gan fod llif yr adrenalin a oedd wedi eich cynnal yn y dyddiau cynnar wedi arafu yn eich corff. Efallai byddwch yn teimlo dan bwysau i ymdopi neu i roi'r argraff i eraill eich bod yn ymdopi. Neu efallai y byddwch yn teimlo'n lluddedig oherwydd yr amser y mae'n ei gymryd i symud ymlaen a'r teimlad bod pob cam ymlaen fel petaech yn symud un cam (neu yn oed ddau gam) yn ôl. Byddai'n fuddiol i chi wybod bod pobl eraill wedi ymdeimlo â'r profiad o symud mewn cylchoedd. Fe ddywed C.S. Lewis yn ei lyfr *A Grief Observed* sut roedd ei fywyd ar ôl iddo golli ei briod. 'Mae galar fel dyffryn hir, dyffryn troellog lle gall ambell i droad ddatguddio tirwedd cwbl newydd . . . Ambell dro . . . yr hyn a welwch o'ch blaen yw'r union fath o wlad roeddech wedi meddwl i chi ei gadael filltiroedd yn ôl. Dyma pryd rydych yn amau ai ffos gylchog yw'r dyffryn mewn gwirionedd.'

Chwalu'r Myth

Byddwch yn teimlo'n well wrth i fwy o'r amser fynd ymlaen ar ôl y golled.

Ar y cyfan, ar gynfas y tymor hir, mae'n debygol bydd dwysedd eich teimladau yn lleihau'n raddol ac ni fydd y brofedigaeth yn gorlywodraethu eich bywyd fel yn ystod y cyfnod cynnar.

Nid yw'n annisgwyl i chi deimlo yn waeth ar ôl chwe mis neu flwyddyn neu hyd yn oed ddwy flynedd ar ôl y farwolaeth. Peidiwch â gofidio os ydych yn teimlo'n waeth cyn i chi ddod i deimlo'n well. Yn araf bach, rydych yn addasu eich bywyd mewn ymateb i realiti eich colled ac nid yw strategaethau amddiffyn eich corff yn gweithredu mor effeithiol ag roedden nhw yn y dyddiau cynnar. O gam i gam, y mae fel petai eich bod yn cael eich amddifadu o'r elfennau hynny oedd yn gysur ac yn gryfder i chi ar y cychwyn. Erbyn hynny byddwch yn wynebu ac yn ymdeimlo â'r realiti mewn gwaed oer megis.

Gosod trefn ar bethau

Felly pa bryd yw'r amser gorau i drafod eiddo'r ymadawedig, cael gwared â'r dillad a'r esgidiau, sortio'r eitemau personol a'r holl bethau sydd wedi eu casglu dros y blynyddoedd? A ddylem ddechrau gwneud hynny yn syth neu ai gwell yw gohirio hynny am y tro?

Ambell dro bydd rhywun yn cael ei orfodi i weithredu yn gyflym oherwydd amgylchiadau fel yr angen i werthu'r tŷ neu'r rheidrwydd i symud allan o'r cartref yn fuan, felly rhaid i'r penderfyniadau – beth ddylid ei daflu i ffwrdd, beth i'w gadw, pwy sy'n cael beth, beth sydd o bwys a beth sydd ddim – gael eu gwneud yn gyflym. Ond os nad oes brys pa bryd felly yw'r amser gorau i fwrw ati? A yw'n dderbyniol i adael y cyfan am y tro?

Dwi'n adnabod dyn a chanddo ddynes o gymydog a deimlai ei bod hi yn gwneud cymwynas fawr â'r gŵr oedd mewn profedigaeth trwy wacáu'r tŷ o bopeth oedd yn eiddo i'w wraig drannoeth y farwolaeth. Fe gafodd hi wared â'r dillad, brwshys gwallt, sliperi, a'r holl golur a'u stwffio mewn bagiau bin a'u taflu i ffwrdd tra oedd yntau allan o'r tŷ.

Os ydych chi wedi dewis cadw brwsh dannedd yr ymadawedig yn yr ystafell ymolchi, yna efallai bydd rhai pobl yn meddwl bod hynny yn arwydd nad ydych wedi 'symud ymlaen'. Os ydych chi wedi gadael esgidiau garddio eich tad wrth y drws cefn yna dydych chi ddim mewn gwirionedd wedi derbyn ei fod wedi marw. Neu os nad ydych yn gallu dioddef rhoi sglefr-fwrdd eich mab i ffwrdd, neu newid y dillad gwely y mae ei arogl arnynt yna rydych rywsut wedi'ch 'gludo' yn eich galar.

Chi yn unig all benderfynu pa bryd yw'r amser gorau i roi sylw i faterion ymarferol fel hyn. Os ydych yn meddwl mai'r peth gorau yw mynd â phopeth i siop elusen mor fuan ag sydd modd, yna gwnewch hynny. Os mai gwell gennych oedi am rai misoedd neu hyd yn oed am rai blynyddoedd, yna peidiwch ag ildio i ddisgwyliadau pobl eraill na fyddant o bosib yn sylweddoli yn iawn beth sydd orau i chi ar y pryd. Os ydych chi yn pryderu ac yn gofidio am y dasg o sortio pethau ymarferol oherwydd maint y dasg, gofynnwch i ffrind neu berthynas i'ch helpu. Gwnewch faint bynnag y gallwch ei wneud ar y pryd a gadewch weddill y dasg ar gyfer diwrnod arall.

Efallai y byddwch yn cael cryn dipyn o gysur wrth drafod rhai eitemau penodol sydd yn eich atgoffa am yr ymadawedig, a'r arogl sydd yn rhan o rai eitemau o'u heiddo. Dwi'n nabod gŵr gweddw a adawodd wisg nos ei wraig o dan y gobennydd yn y gwely am fwy na blwyddyn ar ôl ei cholli. Y mae eitemau fel crysau neu sgarffiau yn gallu golygu llawer i blant, felly ceisiwch fod yn sensitif wrth benderfynu beth all fod o gymorth i aelodau eraill o'ch teulu os yw rhiant plentyn neu frawd neu chwaer wedi marw.

Efallai y byddwch yn dymuno rhoi rhai pethau i bobl fydd yn eu trysori ac yn gwneud defnydd ohonynt, neu eu rhoi i siop elusen er mwyn i'r eiddo gael eu hailgylchu a'u defnyddio gan rywun arall unwaith eto.

Gofynnwch i chi eich hun:

- Beth yn union allaf ei wneud?
- Beth all fy helpu i a'm teulu fwyaf?
- Beth yw'r cymhelliad sydd gen i i gadw neu i gael gwared â'r eiddo?

Er enghraifft, a ydw i'n cadw dillad fy ngwraig yn y cwpwrdd gan fod y lliwiau a'r deunydd yn fy atgoffa ohoni ac yn gysur i fi, neu a ydw i'n eu cadw oherwydd nad wyf wedi derbyn na fydd hi yn dod yn ôl ataf? A ydw i'n twyllo fy hun wrth ddychmygu mai oddi cartref y mae hi ar wyliau, neu ai hunllef yw hyn y byddaf yn deffro ohoni?

Byddwch yn garedig tuag atoch eich hunan, ond byddwch yn onest hefyd. Diau y bydd yn cymryd amser maith i chi iawn sylweddoli'r realiti creulon bod marwolaeth rhywun yn barhaol ac na ddaw'n ôl, ac efallai mai o gam i gam y dowch i sylweddoli hyn yn hytrach na'i dderbyn ar unwaith, felly cymerwch eich amser a pheidiwch â brysio.

Beth am lwch yr ymadawedig?

Os mai amlosgi oedd eich dewis a'ch bod wedi cadw'r llwch, bydd angen i chi wneud penderfyniad anodd arall yn fuan. Beth rydych chi am ei wneud gyda'r llwch a pha bryd sydd orau i chi weithredu ar eich penderfyniad? *A wnawn ni ei wasgaru yn y goedwig yna a garai amser clychau'r gog? A wnawn ni blannu coeden flwyddyn ar ôl y golled a chladdu'r llwch gerllaw? A wnawn ni aros am ychydig ac yna claddu'r gweddillion mewn mynwent wrth fedd y teulu neu mewn gardd goffa?*

Ambell dro bydd y teulu yn amharod iawn i ollwng y gweddillion o'u gofal, gan eu bod yn teimlo mai'r llwch yw'r cyswllt corfforol olaf gyda'r person sydd wedi marw. Y mae teuluoedd eraill yn llai sentimental ac yn claddu neu wasgaru'r llwch mor fuan ag sydd modd. Dewiswch beth sydd orau i chi, a thrafodwch eich teimladau a'ch dymuniadau personol gyda gweddill y teulu er mwyn cael cytundeb ar beth sydd orau i chi a hwythau yn y tymor hir.

Y flwyddyn gyntaf

Dywed llawer o deuluoedd mewn profedigaeth mai'r flwyddyn gyntaf yw'r fwyaf anodd. Y mae cofio'r ymadawedig ar eu pen-blwydd, y Nadolig neu Sul y Mamau cyntaf hebddynt, a chyrraedd diwedd y flwyddyn gyntaf ers y golled yn gamau anodd a phwysig y byddwch yn gorfod eu hwynebu. Unwaith yr â'r flwyddyn gyntaf heibio efallai y byddwch yn llai ymwybodol ac yn llai sensitif wrth i'r dyddiau hyn ddod heibio. Yr amser 'ma flwyddyn yn ôl . . . Mae blwyddyn wedi mynd heibio ers iddi gael y diagnosis . . .

Cytuna seicolegwyr mai'r flwyddyn gyntaf yw'r galetaf gan fod bywyd arferol rhywun wedi ei wyrdroi yn annisgwyl hollol mewn rhai amgylchiadau, ac mae cyfnodau o dristwch a theimlo yn isel yn fwyaf dwys yn ystod blwyddyn gyntaf yr hiraeth a'r golled. Nid yw hynny yn wir yn achos pawb er hynny. Y mae rhai pobl wedi teimlo mai'r ail neu'r drydedd flwyddyn oedd y rhai gwaethaf. Y gwir yw bod pawb ohonom yn wahanol.

Da chi, cofiwch os ydych yn digwydd teimlo'n waeth nag yr oeddech, nid yw hynny yn golygu eich bod yn methu mewn unrhyw fodd nac ychwaith eich bod yn gwneud unrhyw beth o'i le.

Chwalu'r Myth

Mae pethau yn gwella gydag amser.

Y mae llawer yn dweud hyn i'ch cysuro yn eich profedigaeth. Gall hynny fod yn wir ond mae profiadau eraill yn gallu bod yn wahanol oherwydd cymhlethdodau ac amrywiaeth eu hamgylchiadau.

Ysgrifennodd y bardd Saesneg, Elizabeth Jennings:

Time does not heal.
It makes a half-stitched scar
That can be broken and you feel
Grief as total as in its first hour.

Pennod 5
Mynegi eich hunan

Gall galaru greu emosiynau cymhleth a phwerus. Efallai y byddwch yn ymdeimlo â thristwch dwys iawn, unigrwydd, gwacter, dicter neu ofid. Efallai y byddwch yn profi cymysgedd o emosiynau croes i'w gilydd ar yr un pryd neu'n camu o un cyflwr emosiynol i un arall, gyda'r ymdeimlad eich bod yn cael eich taflu o don i don mewn stormus fôr.

Felly sut gallwch chi ddelio gyda'r emosiynau hyn a beth yw'r ffordd orau i chi eu mynegi? Efallai y byddwch yn ceisio cadw'r teimladau hyn dan glo i osgoi elfen o embaras i chi eich hun neu i bobl eraill. Efallai byddwch am ymddangos eich bod yn ymdopi, er eich bod mewn gwirionedd yn ei chael hi'n anodd iawn i ddod i delerau â'r brofedigaeth, er yn dweud wrth eraill fod popeth yn iawn. Gall y wedd allanol ddigyffro yma fod yn rhan o'ch arfogaeth – eich ffordd chi o amddiffyn eich hunan rhag torri i lawr oherwydd emosiynau sy'n fwy grymus a dwys na'r hyn roeddech yn ei ddisgwyl. Efallai bod meddwl am rannu eich emosiynau yn agored yn codi ofn arnoch. Beth os ydw i yn cael fy llethu gan fy nheimladau? Beth os byddant yn llifo drosof fel tonnau o deimladau?

I lawer ohonom, mae dangos teimladau – yn arbennig rhai negyddol – yn groes graen i'n magwraeth a'n diwylliant.

Byddwn yn poeni efallai rhag i ni fod yn niwsans neu efallai bydd rhai pobl yn meddwl llai ohonom os nad ydym yn llwyddo i gadw ein hunain dan reolaeth.

Chwalu'r Myth

Mae cadw fy emosiynau dan glo yn well i bawb.

Gall cydnabod a mynegi eich teimladau wneud **mwy o les** i chi. Y mae gwadu teimladau, neu eu mygu oherwydd eich bod yn meddwl eu bod yn annerbyniol i eraill, yn ei gwneud hi yn fwy tebygol y byddwch yn dioddef iselder neu anhwylderau sy'n gysylltiedig â straen yn y tymor hir.

Dagrau neu ddim dagrau?

Mewn rhai diwylliannau mae dagrau yn arwydd o wendid. Er enghraifft, yn Rwanda – gwlad sydd wedi profi dioddefaint aruthrol yn ystod y degawdau diwethaf – mae peidio â chrïo yn cael ei ystyried yn fynegiant o ddewrder gan ddynion a merched. Mewn rhai crefyddau, ystyrir wylo fel eich bod yn gwadu Duw – *os yw marwolaeth y person hwn yn rhan o ewyllys Duw, ddylwn i ddim ei wrthwynebu gyda fy nagrau*. Mae rhai o'n henoed sydd wedi eu magu yn y diwylliant Prydeinig o ffrwyno teimladau (*stiff upper lip*) wedi cael eu dysgu i beidio â chrïo.

Beth amdanoch chi?

Beth yw eich barn chi am ddagrau? Ydych chi'n berson sy'n crïo yn hawdd? Ydych chi yn dueddol o ymddiheuro os torrwch allan i wylo o flaen rhywun arall? Ydych chi yn ystyried mai rhywbeth hunanol yw tywallt dagrau ac yn meddwl eich bod, wrth wylo, jyst yn troelli mewn galar?

Yn aml, gall crïo ddwyn ryw ryddhad, yn debyg i adael i rywbeth fynd. Gall deimlo fel gweithred o lanhad neu gatharsis. Ond gall dagrau hefyd beri blinder sy'n llethol.

Beth os ydych chi am wylo ond yn methu? Mae'r dagrau yn gwrthod llifo. Rydych yn teimlo bod eich emosiynau yn rhy rymus i'ch galluogi i grïo neu eich bod wedi wylo yn ormodol efallai. Da chi, peidiwch â bod yn rhy feirniadol ohonoch chi eich hunan o ran eich teimladau neu oherwydd unrhyw ddiffyg teimlad. Ceisiwch beidio poeni'n ormodol beth mae pobl eraill yn ei feddwl neu yn ei ddisgwyl.

Da chi, teimlwch yn rhydd i grïo os bydd hynny yn eich helpu. Os byddwch dan deimlad ar adegau anghyfleus, byddwch yn garedig wrthych chi eich hunan a cheisiwch beidio ag ymddiheuro. Cariwch hancesi gyda chi. Ymddiriedwch yn eich ffrindiau a'ch cydweithwyr i'ch derbyn fel yr ydych. Neu ewch i le tawel a chaewch y drws ac wylwch mewn preifatrwydd lle na fydd neb arall yn cael ei ypsetio.

Pam dwi'n teimlo fel hyn?

Yn ogystal â thristwch efallai y byddwch yn teimlo:

- digalondid ac anobaith
- anniddigrwydd ac yn ei chael hi'n anodd setlo
- math o golled sydd yn boen corfforol enbyd
- unigrwydd annioddefol – hiraethu'n fawr am y person sydd wedi marw
- anobaith llwyr, neu hyd yn oed yn teimlo fel dirwyn eich bywyd i ben

Mae'n debygol iawn po fwyaf yr ydych wedi caru rhywun, mwyaf i gyd y bydd eu marwolaeth yn dolurio; po fwyaf oedd y cysylltiadau rhyngoch mewn bywyd, mwyaf fydd ergyd y gwahanu rhyngoch. Fel dywedodd C.S.Lewis, 'Mae'r boen nawr yn rhan o'r llawenydd oedd bryd hynny. Dyna'r telerau.'

Efallai y byddwch yn teimlo yn ddig neu yn euog, ond cawn olwg pellach ar y teimladau hyn ym Mhennod 8.

Beth am y bobl sydd o'm cwmpas?

Mae'r mwyafrif ohonom yn perthyn i deuluoedd o ryw fath. Pan fyddwn yn wynebu profedigaeth, y mae eraill yn profi'r golled hefyd. Ond efallai bydd eich mab neu eich gwraig neu eich mam yn galaru mewn ffordd sy'n wahanol i chi. Er enghraifft, efallai eich bod wedi colli eich gwraig a'ch bod yn teimlo yn enbyd ac yn drist dros ben, ond efallai bydd eich mab sydd wedi colli ei fam yn ddrwg ei dymer ac yn dannod. Efallai byddwch felly yn ceisio rheoli eich teimladau er mwyn i chi allu helpu eich mab yn ei adwaith gwahanol i'r brofedigaeth. Mae'r ffyrdd gwahanol rydych yn trafod eich teimladau yn gallu achosi tyndra rhyngoch.

Os yw eich gŵr yn ymateb i farwolaeth eich baban trwy fod yn ymarferol a di-emosiwn, a'ch bod chi am eistedd i lawr ac ocheneidio yn eich dagrau, mae'r gwahanol ffyrdd rydych chi'ch dau yn ymateb yn gallu cynyddu eich ymdeimlad o fod yn ynysig. Gall methu canfod tir cyffredin a chyd-ddealltwriaeth yn ystod cyfnod o brofedigaeth achosi cryn niwed i'r berthynas rhyngoch. Mae adroddiad Cruse Bereavement Care yn datgan bod 90% o gyplau sy'n wynebu marwolaeth eu plentyn yn gwahanu o fewn dwy flynedd.

Y mae'r bobl sy'n gadael i chi fod yn chi eich hunan ac i alaru yn eich ffordd bersonol yn werth y byd, yn ogystal â ffrindiau sy'n caniatáu i chi fynegi eich teimladau heb geisio tynnu eich sylw oddi arnynt neu newid testun y sgwrs rhyngoch. Fel y dywedodd un wraig yn ei galar, 'Y bobl fentrodd oddef fy nagrau – a'u dagrau eu hunain – oedd fy ngwir ffrindiau.'

'Gwell mas na mewn'

Byddai mam un o'm ffrindiau plentyndod yn dweud am gyfogi, 'Gwell mas na mewn.' Os ydych yn credu bod yr un peth yn wir am deimladau cryfion, yna sut gellwch chi eu mynegi? A sut y gellwch wneud hyn yn adeiladol yn hytrach nag yn ddinistriol?

- *Byddwch yn onest.* Ceisiwch gadw'n agos at yr hyn rydych yn ei wir deimlo. Byddwch yn ymwybodol o'ch emosiynau a'u cymhlethdod.

- *Ystyriwch eich sefyllfa o ddifrif.* Rhowch ganiatâd i chi eich hun deimlo'r hyn rydych chi yn ei deimlo mewn gwirionedd. Peidiwch â dibrisio eich teimladau a pheidiwch â cheisio eu rhesymoli yn ormodol. Rydych mewn profedigaeth – does dim disgwyl i chi fod yn hollol resymegol!

- *Chwiliwch am le diogel.* Ewch am dro ar ben eich hun neu caewch y drws a thynnwch y llenni. Os hoffech gael cwmni, dewiswch rywun cadarn; un sy'n ymatal rhag barnu ac a fydd â'r amynedd i wrando arnoch. Os na allwch feddwl am rywun cymwys o fewn cylch eich teulu neu eich ffrindiau y gallwch ymddiried ynddynt, yna gallwch ystyried trefnu i weld person sy'n cwnsela rhai sydd mewn profedigaeth.

- *Ysgrifennwch.* Os ydych chi yn ei chael hi'n anodd i fynegi eich teimladau, efallai bydd ysgrifennu yn eich helpu. Gallwch ysgrifennu rhestrau o eiriau neu deimladau, cadw cofnod dyddiol, sgwennu cerddi, neu hyd yn oed sgwennu llythyr at y person ymadawedig. Yna efallai bydd yn therapiwtig i chi losgi neu rwygo'r hyn rydych wedi ei sgwennu.

- *Gosodwch derfynau i chi eich hunan.* Os ydych yn ofni y bydd trafod eich teimladau yn agored yn debyg i agor llifddorau, efallai mai da o beth fyddai i chi osod terfynau i chi eich hun. Penderfynwch, er enghraifft, y byddwch yn wylo neu yn gweiddi neu ysgrifennu am ryw awr, dyweder, ac yna trefnwch i ffrind alw heibio neu ewch allan am dro neu gwyliwch raglen ar y teledu. Cydnabyddwch fod emosiynau yn peri blinder mawr; mynnwch orffwys ac ymlonyddwch.

Nid o flaen y plant . . .

Mae angen i blant, yn arbennig, gamu i mewn ac allan o deimladau pan fyddan nhw mewn profedigaeth. Gall plentyn fod yn crïo ac yn drist un funud ac yna bydd yn chwarae'n hapus y funud nesaf. Ceisiwch sicrhau cyfleoedd i blant fynegi eu hemosiynau mewn ffyrdd priodol a naturiol, a pheidiwch â theimlo bod angen tynnu eu sylw rhag cael eu hypsetio. Efallai y teimlwch os byddwch yn dangos *eich* teimladau yna byddwch yn eu brawychu, ond gallai wylo gyda nhw ac o'u blaen roi'r cyfle iddyn nhw ddangos *eu* teimladau nhw *eu hunain* hefyd.

Efallai bydd plant yn mynegi eu galar trwy dynnu lluniau neu wneud pethau diddorol. Gall gwneud masgiau neu deisennau gydag wynebau hapus, trist, dig neu rai yn dangos braw fod yn gyfrwng i helpu plant i siarad am eu teimladau.

Sut bynnag y mae eich teulu yn dewis gweithredu, ceisiwch ganiatáu digon o le ac amser ar gyfer cyfnodau o dristwch i bob unigolyn a pheidiwch â meddwl mai eich ffordd chi o ddelio gyda'r teimladau yw'r unig ffordd gywir o wneud hynny.

Ond beth os nad ydw i yn teimlo dim o gwbl?

Gall yr holl drafod yma am emosiynau fod yn peri i chi feddwl bod rhywbeth o'i le arnoch chi ac yn gwneud i chi deimlo yn hollol blanc! Dydych chi ddim yn teimlo yn drist neu yn ddig neu yn ddryslyd nac yn teimlo eich bod ar goll. Mewn gwirionedd, dydych chi ddim yn teimlo dim o gwbl. Jyst yn teimlo yn farw y tu mewn. Mae'n bosib yr hoffech pe byddech yn *fwy* ypset. Efallai eich bod yn teimlo'n euog nad ydych wedi ymdeimlo â'r emosiynau y buom yn eu trafod. (Down yn ôl at yr ymdeimlad o euogrwydd ym mhennod 8.) Am y tro, ceisiwch beidio â phoeni am hynny.

Sut bynnag . . .

- Os ydych yn ceisio osgoi sefyllfaoedd sy'n aflonyddu arnoch, fe allwch ymdrechu i wneud hyn yn llai aml.

- Os ydych yn gohirio ymweld â'r man lle bu'r ymadawedig farw neu ryw fangre oedd yn golygu llawer i chi'ch dau, efallai bydd mynd yno yn help i chi ddod i delerau â rhai o'ch teimladau.

- Os ydych wedi osgoi mynd trwy bethau personol yr ymadawedig, a gwrando ar ei hoff gerddoriaeth, darllen llythyrau a gawsoch ar ôl eich profedigaeth, efallai mai dyma'r amser i fentro gwneud hynny.

- Chi yw'r person sy'n gwybod beth sydd orau i chi eich hunan, felly ceisiwch drin eich sefyllfa fel byddai ffrind amyneddgar yn eich trin, a cheisiwch ymlacio.

Pennod 6
Siarad a chofio

Mae rhai pobl yn ei chael hi'n fwy anodd nag eraill i siarad am rai materion. Os ydych chi yn berson sydd yn hoff o siarad ag eraill, efallai mai peth naturiol yw i chi siarad am y person sydd wedi marw a'r modd y mae ei golli wedi effeithio ar eich bywyd. Efallai byddwch am sôn am rai o'ch atgofion, neu rannu manylion am y dyddiau neu'r oriau olaf gyda'ch gilydd. Os ydych yn ddigon ffodus, bydd gennych gyfeillion da sydd yn fwy na bodlon i wrando arnoch.

Sut bynnag, bydd eraill yn ceisio rhoi taw arnoch neu am newid testun y sgwrs er mwyn 'tynnu'ch meddwl oddi ar y peth'. Yn waeth na hynny, efallai bydd rhai pobl am osgoi eich gweld am nad ydynt yn siŵr iawn beth i'w ddweud wrthych neu eu bod yn ofni dweud pethau anghywir wrthych a fydd yn eich ypsetio.

Mae'n beth cyffredin iawn i bobl sydd mewn profedigaeth deimlo'n ynysig am nad yw pobl eraill yn gwybod sut i ymateb ac yn arswydo dweud rhywbeth amhriodol.

Dywedodd y nofelydd Alice Jolly, wrth ysgrifennu am farwolaeth ei merch ifanc yn *The Guardian*:

> *Less than a month after her death it was our son's third birthday and my husband and I organized a party for him. About thirty adults attended ... accompanying their children. But with the exception of two close friends, no one mentioned Laura's death. The shock of that silence was nearly as bad as the shock of my daughter's death.*

Pan fyddwch chi yn awyddus i siarad, ac yn teimlo nad yw pobl eraill yn gadael i chi, gall hynny wneud i chi deimlo yn rhwystredig ac yn unig.

Beth bynnag, os cewch hi'n anodd i fynegi eich hunan, efallai y byddwch yn osgoi siarad am eich profedigaeth o gwbl. Mae'n bosibl eich bod yn amharod i gychwyn sgwrs rhag ofn y byddwch yn ypsetio eich hun neu bobl eraill. Efallai eich bod yn meddwl na fydd sgwrsio yn eich helpu o gwbl – ni fydd ond yn gwneud i chi deimlo yn fwy trist ac yn fwy unig.

Peth da yw siarad...

Mae rhai diwylliannau yn cydnabod gwerth trafod a sgwrsio ar ôl marwolaeth trwy ffurfioli'r weithred o gyd-drafod. Er enghraifft, yn y traddodiad Iddewig, bydd y teulu agos yn 'eistedd shiva' gyda'i gilydd am wythnos ar ôl yr angladd – eistedd yn y lolfa gyda ffrindiau, perthnasau a chymdogion a fydd yn ymweld â'r person mewn galar ac yn dod â bwyd gyda nhw ac yn rhannu atgofion am yr ymadawedig. Mae'r arfer hwn yn galluogi'r gymuned i chwerthin, crïo a rhannu atgofion ymhlith ei gilydd.

Mewn cymdeithasau Mwslimaidd, hefyd, mae'r teulu a ffrindiau yn ymweld â'r rhai mewn profedigaeth er mwyn cydymdeimlo a chyfnewid atgofion, gan dynnu eu hesgidiau wrth ddod i mewn i'r tŷ ac yn gorchuddio eu pennau wrth siarad am yr ymadawedig.

Beth mae pobl yn ei ddweud:

'[The essence of bereavement is] for the community of people that knew the deceased to discuss and elaborate an accurate and durable biography, to develop a shared condensation of that person, mainly through conversation, so as to move on with, as well as without the deceased.'
Dr Walter (*Bereavement Care*, Spring 1991)

'Telling your story often and in detail is primal to the grieving process...'
Elisabeth Kübler-Ross

Teuluoedd

Pan fo'r teulu cyfan yn wynebu profedigaeth, efallai bydd rhai yn dymuno siarad ac eraill ddim. Gall y gwahaniaeth hwn achosi tensiynau a chamddealltwriaeth. Er enghraifft, efallai bydd y mab am siarad am farwolaeth ei fam trwy'r amser, tra na fydd y chwaer am sôn am y fam o gwbl; efallai bydd y nain am siarad am farwolaeth ei hŵyr tra bydd ei gŵr yn ymateb i'r galar mewn tawelwch. Os yw'n rhy anodd i siarad â pherthnasau agos, efallai bydd o gymorth i chi sgwrsio â pherson niwtral. Gall asiantaethau fel Cruse Bereavement Care, sy'n cynnig gwasanaethau cynghori, roi'r cyfle i chi siarad heb ofni achosi dolur neu dramgwydd.

Cadw'r atgofion yn fyw

Mae cofio'r ymadawedig yn rhan holl bwysig yn y broses o alaru. Rydych yn addasu eich hunan i fyw heb rywun annwyl i chi, ond rydych hefyd yn cydnabod ac yn parchu'r hyn yr oeddent yn ei olygu i chi a'u cyfraniad unigryw i'ch bywyd dros y blynyddoedd.

Beth yw'r pethau pwysicaf rydych yn eu cofio am y person sydd wedi marw?

Efallai eich bod yn ofni, wrth i'r amser hedfan, y byddwch yn eu hanghofio. Tuedd plant, yn arbennig, yw gofidio na fyddant yn cofio rhywun sydd wedi marw. Gall rhai gweithgareddau sy'n helpu plant i siarad â'i gilydd a thrysori eu hatgofion fel creu blwch atgofion, neu hongian teganau ar goeden Nadolig, neu greu llyfrynnau arbennig, wneud cyfraniad sylweddol i'r hyn y byddant yn ei gofio mewn blynyddoedd i ddod ar ôl y brofedigaeth.

Gall siarad am riant marw neu frawd neu chwaer a gollwyd fod yn bwysig iawn yn ystod eu cyfnodau o dyfu a newidiadau. Er enghraifft, efallai bydd bachgen a gollodd ei dad pan oedd yn bump oed yn awyddus i siarad am ei dad pan fydd yn bymtheg oed tra'n mynd trwy gyfnod adolesent neu pan fydd yn bump ar hugain ac ar fin gwneud penderfyniadau pwysig.

Beth tybed oedd Dad yn ei wneud pan oedd yr un oed â fi? Beth fyddai'n meddwl am hyn? Neu yn dweud am hyn a'r llall?

Cofnodwch ar bapur

Mae cofnodi rhai atgofion ar bapur yn gallu bod o gymorth i chi. Pan glywodd un ffrind i mi nad oedd gwella iddi o ran ei hiechyd, penderfynodd ysgrifennu llythyrau at bob un o'i phlant yn cofnodi rhai pethau pwysig roedd hi am iddynt eu cofio pan fyddent yn tyfu. Mae ysgrifennu ar bapur yn gallu bod yn gyfrwng i ddiogelu rhai pethau gwerthfawr rhag iddynt fynd yn angof.

Rwy'n cofio ffrind arall yn gofyn i gyfeillion a pherthnasau ysgrifennu i lawr bopeth yr oedden nhw wedi'i ddweud am ei mab yn ei angladd oherwydd gwyddai hi na fedrai gofio popeth ar ôl hynny; ei dymuniad oedd medru ailddarllen eu holl hanesion a'u teyrngedau amdano.

'Peidiwch dweud dim gwael am y meirw!'

Ar ôl i rywrai farw, mae'n eithaf tebygol y bydd gennych rai atgofion gwael yn ogystal â rhai da amdanynt. Efallai bod eu marwolaeth yn drawmatig ac i bethau ddigwydd a barodd fraw a dryswch i chi. Efallai iddynt fod yn sâl a bod y feddyginiaeth a gymerent wedi achosi iddyn nhw ymddwyn yn wahanol iawn i'r arfer – byddent yn dweud neu'n gwneud pethau annodweddiadol yr ydych yn dal i'w cofio. Efallai bod eich perthynas â'ch gilydd wedi bod yn un gymhleth ers tro. Mae rhai ymgynghorwyr profedigaeth yn rhoi i'w cleientiaid 'ddarnau dal' (*holding objects*) fel poblenni [pebbles] i'w galluogi i siarad am eu teimladau cymysg. Bydd poblen fach lefn efallai yn cynrychioli atgofion cyfforddus a chyffredin; poblen arw yn cysylltu'r meddwl ag atgofion poenus; a phoblen liwgar sgleiniog yn dod ag atgofion gwerthfawr iawn. Y mae dal tair poblen yn eich llaw yr un pryd yn cynrychioli dwyn cymysgwch o atgofion – rhai da, rhai gwael a rhai niwtral.

Mae'n demtasiwn i sôn am y pethau da yn unig pan fo rhywun wedi marw. Mae tuedd ynom i'w gwneud yn 'saint' ar ôl eu marwolaeth a'u gwneud yn fwy a mwy perffaith ac yn llai tebyg i'r hyn yr oedden nhw mewn gwirionedd.

Mae trafod yn eich helpu i:

- gofio pethau yn fwy cywir
- ddeall yn well rai pethau sydd wedi eich drysu
- gael eich stori yn iawn

Chwalu'r Myth

Mae siarad gormod am rywun sydd wedi marw yn niweidiol a heb fod yn beth iach iawn i'w wneud.

Siaradwch gymaint â fynnwch yn ôl eich angen. Mae'n rhywbeth normal ac iach ac yn rhan o'ch galar. Bydd siarad am yr ymadawedig yn eich helpu i gydnabod eu *presenoldeb* fel petaent gyda chi o hyd tra ar yr un pryd yn gwneud i chi ymgynefino â'u *habsenoldeb*.

Beth am siarad â'r meirw?

Os yw yn beth normal i siarad am y meirw, onid yw yn beth normal i siarad *â* nhw? *Ydw i'n hurt i barhau i siarad â'i ffotograff? Oes rhywbeth o'i le arna i os dwi'n cerdded o gwmpas tŷ gwag yn sgwrsio ag ef? A ydy hi'n iawn i ofyn pethau iddi, neu i ddweud wrthi beth sy'n fy meddwl?*

Mae sgwrsio gyda phobl sydd wedi marw yn ddiweddar yn rhywbeth cyffredin iawn. Efallai bod marwolaeth yn ddiwedd sydyn ar fywyd rhywun, ond nid yw'r berthynas sydd wedi datblygu dros y blynyddoedd yn dod i ben yn awtomatig pan fydd rhywun farw. Byddwch yn dal i deimlo fod gennych gysylltiad â nhw. Byddwch yn dal i feddwl beth fyddai eu barn ar rai materion. Mae siarad â rhywun sydd wedi marw yn beth tra naturiol. Nid yw'n golygu eich bod yn mynd yn wallgof. Nid yw'n golygu eich bod yn troi yn ysbrydegydd dros nos. Nid yw'n golygu o reidrwydd eich bod yn credu bod yr ymadawedig yn eich clywed. Rhan ydyw o'r modd yr ydych yn prosesu'r cyfan sydd wedi digwydd i chi ac yn rhan hefyd o ddod i delerau â sut y byddwch yn ymdeimlo â chanlyniadau eich profedigaeth.

Gydag amser efallai byddwch yn siarad yn llai aml â'r person neu bydd y sgyrsiau yn fwy mewnol.

Beth am Dduw?

Os oes gennych ffydd, efallai bydd yn help i chi siarad â Duw am eich profedigaeth. Ceisiwch fod yn onest yn eich gweddïau. Os ydych yn teimlo yn ddig neu mewn penbleth neu yn elyniaethus tuag at Dduw, ceisiwch ddod i delerau â hynny.

Mae llawer o dystiolaeth yn Y Beibl, er enghraifft yn y Salmau, o bobl yn gweiddi ar Dduw mewn gweddi oherwydd eu dryswch a'u tristwch. Efallai bydd darllen yr adrannau hyn yn eich helpu chi i ddweud yr hyn rydych am ei ddweud.

Pennod 7
Cadw'n iach

Mae'r bennod hon yn ymwneud â'r modd y dylech ofalu amdanoch eich hunan yn ystod y misoedd ar ôl colli rhywun. Gall profedigaeth amharu ar batrymau arferol eich bwyta, eich cysgu, a'r modd rydych yn gweithredu, felly bydd yn ofynnol iawn i chi ofalu am eich iechyd yn ystod y cyfnod hwn.

Cysgu a breuddwydion

Efallai byddwch yn cael trafferth i gysgu. Mae'n bosibl y byddwch yn ei chael hi'n anodd syrthio i gysgu – yn methu diffodd y meddyliau sy'n mynd rownd a rownd yn eich pen. Efallai y byddwch yn cysgu'n ysbeidiol neu yn cael breuddwydion bywiog iawn. Byddwch yn breuddwydio bod yr ymadawedig yn dal yn fyw wedi'r cyfan ac yna wrth ddeffro yn sylweddoli nad yw hynny'n wir. Neu byddwch yn cael hunllefau sy'n llawn o drychinebau cythryblus a marwolaeth.

Efallai, os mai eich cymar sydd wedi marw, na fyddwch yn awyddus i fynd i'r gwely ar eich pen eich hun. Mae mynd i mewn i wely gwag yn dasg anodd i chi. Rydych yn colli'r agosrwydd a oedd yn eich perthynas.

Mae'n bosibl y byddwch yn teimlo'n flinedig iawn – blinder sylweddol anghredadwy. Mae blinder a'r anallu i ganolbwyntio yn gyffredin, yn arbennig yn ystod blwyddyn gyntaf eich profedigaeth.

Ond efallai byddwch chi yn cael profiadau i'r gwrthwyneb. Mae'n bosibl y byddwch yn teimlo eich bod yn llawn egni – yn byw gydag ymwybyddiaeth ddwys o realiti fel petai rhywun wedi troi'r botwm sain yn rhy uchel, fel petaech chi yn methu arafu eich hun a bod yn llonydd.

Beth mae pobl yn ei ddweud:

After he died I wanted to sleep to oblivion. It was a monumental effort to get out of bed in the morning.
Lousie, ar ôl marwolaeth ei gŵr

I felt as if I didn't need much sleep and often worked late into the night, seeking the numbing effects of busyness.
Nick, ar ôl marwolaeth ei wraig

It is so exhausting, this feeling of lethargic misery . . .
Rebecca Abrams, yn ei llyfr *When Parents Die*

Ymarfer

Diau fod ymarfer y corff yn rheolaidd a mynd allan i'r awyr iach yn eich helpu i deimlo'n well a hyd yn oed i gysgu'n well.

Mae ymgymryd ag ymarferion ysgafn, rhythmig drosodd a throsodd fel nofio, cerdded neu ioga yn gallu bod yn therapiwtig iawn. Ystyriwch eu gwneud nhw hyd yn oed os nad ydych chi yn teimlo fel gwneud hynny.

Ond, ar y llaw arall, os ydych chi yn berson sy'n arfer cadw'n heini, efallai bydd sesiwn egnïol iawn yn y gampfa neu gêm galed o sboncen yn fwy o gymorth i chi ymlacio.

Gall gwrando ar gerddoriaeth, cymryd bath cynnes, neu wylio rhaglen deledu ddihangol am ychydig cyn noswylio fod yn gymorth i chi gysgu yn fwy esmwyth. Os ydych chi yn berson sy'n hoff o sgwennu, gallwch gadw llyfr cofnod wrth ochr y gwely, ac os byddwch yn deffro yn y nos, ewch ati i ysgrifennu nes eich bod yn teimlo'n gysglyd.

Bwyta'n Iach

Efallai eich bod wedi sylweddoli bod patrwm eich bwyta yn afreolus di-drefn.

- Does gyda chi dim archwaeth o gwbl – does gyda chi ddim diddordeb mewn bwyd.
- Oherwydd y dryswch rydych chi'n anghofio cael prydau bwyd yn rheolaidd.
- Does gyda chi ddim egni i drafferthu i goginio unrhyw beth.
- Does dim bwyd yn yr oergell ac ni allwch wynebu mynd allan i siopa.
- Rydych chi'n cysur fwyta – ac yn blysio am fisgedi, siocled, neu fwydydd cyflym.

Mae colli pwysau yn gyflym, neu ennill pwysau, yn rhywbeth cyffredin yn ystod cyfnod o brofedigaeth. Mae'n bosibl nad ydych chi'n gweld pwrpas mewn bwyta unrhyw beth. Os mai eich cymar sydd wedi marw a'ch bod yn coginio i un person yn lle dau, efallai na fyddwch yn gweld pwrpas coginio i chi eich hun. Neu mae'n bosibl mai eich cymar oedd yr un oedd yn coginio, a'ch bod yn teimlo ar goll ac yn aneffeithiol yn y gegin.

Beth bynnag yw eich teimladau am fwyd, cofiwch da chi mai chi sydd *yn bwysig*. Mae bwyta'n iach ac yn rheolaidd yn holl bwysig er mwyn i chi gadw'n iach i'ch galluogi i wynebu her bywyd gyda chymaint o nerth corfforol ag sy'n bosibl.

Os yw ffrindiau neu gymdogion yn cynnig coginio i chi, gadael bwyd ar drothwy'r drws, neu eich gwahodd am bryd o fwyd, ymdrechwch i dderbyn eu cymorth. Yn aml os nad yw pobl yn gwybod sut i'ch helpu, mae cynnig darparu bwyd i chi yn un o'r pethau cyntaf sy'n dod i'w meddwl. Byddant yn dyfalu bod bwyta yn isel ar restr eich blaenoriaethau ac mae'n debygol eu bod yn gywir. Mae rhai diwylliannau yn ffurfioli'r cymorth ymarferol hwn. Er enghraifft, mae traddodiad Mwslimaidd yn mynnu bod galarwyr yn peidio â choginio am ddeugain niwrnod ar ôl y farwolaeth, tra bydd perthnasau a chymdogion yn darparu'r prydau bwyd.

Os nad oes neb yn cynnig darparu bwyd ar eich cyfer ac na allwch wynebu coginio eich hun, cymerwch rai fitaminau i'ch helpu i gadw'n iach er mwyn cryfhau eich system imiwnedd.

Yfed

Os ydych chi wedi eich llethu a'ch llorio gan dristwch, wedi colli gwir ystyr i bethau, ac yn methu cysgu, yna mae'n rhy hawdd i chi yfed mwy nag arfer. Gall fod yn demtasiwn i chi geisio lleddfu'r boen neu godi'ch ysbryd mewn modd artiffisial trwy yfed alcohol, ond da chi, ymdrechwch i beidio yfed mwy, yn arbennig os ydych chi'n treulio tipyn o amser ar eich pen eich hun. Os ydych chi'n poeni eich bod yn yfed gormod, cyfaddefwch hynny wrth ffrind dibynadwy neu ymwelwch â'ch meddyg.

Chwalu'r Myth

Dibwys yw fy iechyd personol. Pa ots ydyw os yw'r person roeddwn yn ei garu wedi marw?

Yn aml, mae profedigaeth yn achosi ymdeimlad o wacter ystyr a diffyg pwrpas i fywyd. Hyd yn oed os ydych chi'n teimlo ar y funud nad oes dim o bwys a'ch bod yn meddwl bod yr hyn rydych chi'n ei wneud neu ddim yn ei wneud yn hollol ddibwys, cofiwch mai eich bywyd chi sy'n cyfrif. Gofalwch amdanoch eich hunan Meithrinwch eich hunan barch.

Clefydau straen

Dywed meddygon teulu mai peth cyffredin iawn yw i bobl mewn profedigaeth ymweld â nhw yn fwy aml nag sy'n arferol, yn arbennig yn ystod blwyddyn gyntaf y brofedigaeth. Yn ogystal â theimlo yn flinedig neu fethu cysgu, efallai byddwch yn profi nifer o symptomau sy'n gysylltiedig â straen:

- poenau corfforol
- ecsema neu gosi croen
- teimlo cyfog
- anhawster llyncu
- crychguriadau'r galon (palpitations)
- trafferthion treulio bwyd, colitis neu syndrom llid y coludd (irritable bowel syndrome)

Mae tystiolaeth bod galar a phrofedigaeth yn effeithio ar system imiwnedd pobl, gan eu gwneud yn fwy tueddol o ddioddef afiechydon – teimlo yn isel a gwan fwy na thebyg.

Byddwch yn garedig wrthych eich hun. Ceisiwch wrando ar anghenion eich corff er mwyn sylweddoli beth yw eich gwir angen.

- Os ydych chi yn gwneud gormod, yna arafwch.
- Os oes angen i chi fynd i'r gwely a gorffwyso, ceisiwch sicrhau bod hyn yn bosibl.
- Os oes angen pryd da o fwyd arnoch neu daith gerdded llesol i fyny'r mynydd, gnewch y rhain yn flaenoriaeth.

'Dwi'n meddwl fy mod yn dioddef o iselder ysbryd ...'

Mae teimlo'n drist, yn isel, yn anobeithiol a heb chwant i wneud dim – gan gynnwys hyd yn oed meddwl am hunanladdiad – yn deimladau cyffredin i rai mewn profedigaeth. Nid yw'n golygu o reidrwydd eich bod yn sâl neu fod angen meddyginiaeth gwrth iselder arnoch.

Sut bynnag, mae *rhai* pobl sydd mewn profedigaeth – amcangyfrifa rhai seicolegwyr bod tua 5-10 y cant ohonynt – yn mynd yn ddigalon a bod angen help arnynt. Mae hyn yn fwy tebygol o ddigwydd os oes gennych symptomau galar sy'n cael eu disgrifio weithiau fel rhai 'trawmatig' neu 'cymhleth' – er enghraifft:

- roedd y farwolaeth yn frawychus o sydyn neu yn un treisiol;
- mae gwrthdaro a thensiynau anodd o fewn y berthynas deuluol;
- mae tuedd ynoch i ddioddef o salwch iselder;
- rydych chi wedi profi nifer o golledion y naill ar ôl y llall.

Os ydych chi yn poeni efallai eich bod yn dioddef o iselder, mynnwch gael help; naill ai siaradwch â'ch meddyg, neu ystyriwch gwnsela neu fynd am therapi ymddygiad cognyddol (*CBT cognitive behaviour therapy*).

Uwchlaw popeth, cymerwch eich iechyd personol – corfforol, meddyliol ac emosiynol – o ddifrif. Mae arnoch chi hynny i chi eich hunan ac i'r person sydd wedi marw.

Pennod 8
Delio gyda dicter ac euogrwydd

Mae'r rhan fwyaf o bobl yn disgwyl teimlo'n drist pan fo rhywun agos yn marw, ond efallai nad ydyn nhw yn disgwyl teimlo elfen o ddicter. Mae dicter, er hynny, yn ymateb tra chyffredin mewn profedigaeth – gymaint felly nes i Virginia Ironside ddefnyddio 'The Rage of Bereavement' fel is-deitl i'w llyfr *You'll Get Over It*. Os ydych chi'n teimlo'n ddig, wedi gwylltio, wedi cynddeiriogi, neu jyst yn anniddig, nid ydych chi ar eich pen eich hun.

Pam dwi'n teimlo'n ddig?

Efallai eich bod yn ddig oherwydd eich bod yn teimlo na ddylai'r person fod wedi marw. Gallai'r farwolaeth fod wedi cael ei hosgoi neu ei bod yn ganlyniad diffyg gofal neu flerwch gan rywun arall.

Roedd yn cael llawdriniaeth gyffredin ond digwyddodd cymlethdodau annisgwyl. Bu hi mewn damwain a oedd wedi ei achosi gan rywun arall. Pe bai ei symptomau wedi eu harchwilio ynghynt, efallai y byddai wedi byw yn hirach neu heb farw o gwbl.

Yn eich dicter efallai byddwch yn bwrw'r bai ar rywun neu rywbeth. Efallai bod y bai hwn yn hollol deg, yn arbennig os oedd y person wedi marw o ganlyniad i weithred neu falais rhywun arall. Mewn amgylchiadau eithriadol lle mae person, er enghraifft, wedi ei lofruddio neu wedi ei ladd mewn ymosodiad terfysgol, mae'n bosibl bod gennych deimladau cryf a chymhleth a da o beth fydd derbyn cymorth proffesiynol i'ch helpu i ddelio gyda'r sefyllfa.

Mae'n bosibl hefyd, ar y llaw arall, feio rhywun ar gam. Gall gweld bai ar rywun am farwolaeth person fod yn ymgais i wneud synnwyr o ddryswch y sefyllfa a ymddengys i bob golwg yn un ddamweiniol.

Mae rhai pobl yn gallu beio eu hunain yn ogystal â phobl eraill. *Eich bai chi* am ryw reswm oedd y farwolaeth. Efallai byddwch yn teimlo'n euog oherwydd eich anallu chi eich hunan i wneud rhywbeth yn y sefyllfa. *Methais â'i stopio rhag marw. Fedrwn i mo'i hachub hi.* Mae'r ymdeimlad hwn o annigonolrwydd yn gyffredin ymhlith rhieni sydd wedi colli eu plant. Gallant deimlo fel pe baent wedi methu eu gwarchod ac yn eu magwraeth ohonynt.

Mae hunan-fai yn gyffredin iawn mewn achosion o hunanladdiad. Pan fo rhywun wedi dirwyn ei fywyd i ben yn fwriadol, mae'r ymdeimlad o fethu derbyn y peth ymhlith y rhai sydd ar ôl yn gallu bod yn ingol.

Pe bawn i ond wedi gwrando mwy arno. Dylwn i fod wedi bod yn well rhiant. Pe bawn i ond wedi sylweddoli pa mor ddigalon oedd hi.

Mae'n bosibl i'r bai gael ei gyfeirio hyd yn oed at yr ymadawedig. Gall gŵr neu wraig deimlo bod marwolaeth eu cymar yn rhyw fath o gefnu bwriadol arnynt. *Sut yn y byd gallai fy ngadael ar fy mhen fy hun? Pam roedd rhaid iddo farw nawr?*

I bobl â ffydd, efallai bydd y dicter hwn yn cael ei gyfeirio at Dduw. *Pam gwnaeth Duw ddim gofalu am fy mab fel roeddwn wedi gofyn mewn gweddi? Pam gwnaeth Duw greu byd lle mae cancr yn lladd pobl? Sut gallai Duw ganiatáu iddi ddioddef gymaint?*

Neu efallai bydd y dicter yn cael ei gyfeirio yn syml iawn at fywyd, y bydysawd, ac ansicrwydd bodolaeth dyn. *Mae mor annheg! Y fath wastraff ydyw! Does dim synnwyr yn y peth!*

I experienced the most intense anger, bitterness and pain which raced through every part of me, and I shouted a host of expletives. My anger was directed not just at the evil creatures who had planted the bomb but at the injustice of Tim losing such a promising young life.

Colin Parry, yn ysgrifennu am ei fab, Tim, 12 oed a laddwyd gan fom IRA

At funerals, the American Indians used to shoot spears and arrows into the sky, and at military funerals guns are still fired in an apparent expression of fury.

Virginia Ironside

Gall y teimladau o ddicter fod yn ddryswch llwyr ac yn annymunol iawn. Efallai, yn wir, na wyddoch pam yn union rydych chi'n ddig. Mae'n bosibl eich bod jyst yn teimlo'n annifyr ac yn fyr eich tymer. Efallai byddwch yn gas tuag at eich perthnasau neu eich cydweithwyr. Rydych yn ymddangos yn fyr iawn eich tymer trwy'r amser fel bydd pethau bach dibwys yn eich blino. Efallai eich bod yn canfod eich hun yn tafodi'r cyflenwr blodau neu'r ymgymerwr ar ddiwrnod yr angladd, neu eich bod yn flin iawn gyda'r ficer a wasanaethodd yn yr angladd oherwydd ei fod wedi cam-ynganu eich enw.

Efallai eich bod wedi colli eich synnwyr o ddigrifwch a bod pethau bychain yn aflonyddu arnoch – mae eich gallu i ymdopi yn wannach nag y maen nhw fel arfer.

Mae'n bosibl y byddai o gymorth i chi geisio canfod beth yn union sydd yn eich gwneud yn ddig. Gallwch geisio ysgrifennu rhestr sy'n cychwyn â geiriau megis 'Dwi'n ddig oherwydd . . .'

'Dwi jyst yn grac!'

Efallai nad oes gennych unrhyw syniad yn y byd pam rydych yn teimlo'n ddig. Fel yna rydych yn teimlo ar y foment. Felly beth ellir ei wneud gyda'r teimladau pwerus hynny all fod yn niweidiol iawn?

Mae'r elusen Brydeinig 'Winston's Wish' yn darparu cyfle i blant a'u rhieni, mewn gwersylloedd penwythnos, i fynegi eu dicter trwy daflu pethau at wal bwrpasol 'Wal Dicter' (Anger Wall). Ar ôl ysgrifennu ar bapur eiriau neu dynnu lluniau'r pethau sy'n eu gwneud yn ddig, maen nhw'n eu pinio ar y wal ac yna yn taflu clai gwlyb atynt. Mae'r ymarfer hwn yn rhoi caniatâd i bobl i gydnabod yr emosiynau negyddol pwerus sydd ynddynt ac yna eu rhyddhau yn ddiogel heb gael eu beirniadu neu fod rhywun yn dweud wrthynt am fihafio'n wahanol.

Mae'n eithaf posibl y byddwch yn canfod gwneud rhywbeth tebyg o help ac yn gathartig. Fe allech:

- daflu rhywbeth at wal [dewiswch rywbeth fel clai neu datws rhag i chi eich niweidio eich hun na neb arall]
- taflu cerrig i mewn i lyn neu afon
- dyrnu clustogau
- mynd i le anghysbell a gwyntog os yn gyfleus [i ben rhyw fryn neu ar lwybr cerdded ar glogwyn] a bloeddiwch allan yn uchel
- chwarae gêm sboncen, gan ddychmygu mai'r bêl yw gwrthrych eich dicter naill ai'r peth neu'r person sydd ar eich meddwl
- gosod cadair wag mewn ystafell breifat gan ddychmygu fod y peth neu'r person sy'n wrthych eich dicter yn eistedd yno – yna dywedwch yr holl bethau roeddech am eu dweud ond heb allu eu dweud yn agored cyn hyn

Chwalu'r Myth

Ddylwn i ddim teimlo'n ddig. Mae'n emosiwn amhriodol. Mae'n rhaid fy mod yn berson atgas.

Mae dicter yn adwaith normal ac iach ar ôl marwolaeth rhywun.

Ysgrifennodd Elisabeth Kubler-Ross sy'n seicolegydd ac yn arbenigo mewn materion galar:

> . . . *we live in a society that fears anger. People often tell us our anger is misplaced, inappropriate, or disproportionate. Some people may feel your anger is harsh or too much. It is their problem if they don't know how to deal with it . . . scream if you need to. Find a solitary place and let it out.*

Efallai bydd eich ffrindiau a'ch perthnasau yn ei chael hi'n anodd delio gyda'ch dicter. Efallai bydd yn haws, yn eu golwg nhw, 'i'ch cysuro' pan fyddwch yn drist na phan fyddwch chi mewn tymer ddrwg ac yn gorlifo â dicter. Os medrwch, ceisiwch ddweud wrthyn nhw sut rydych chi'n teimlo. Os nad oes gennych rywun a fydd yn barod i wrando arnoch heb iddynt ddweud na ddylech fod yn teimlo fel yna, mynnwch air gan gynghorwr. Mae'n iawn i siarad a holi cwestiynau – hyd yn oed rai nad oes efallai ateb iddynt. Mae'n iawn i chi deimlo'n ddig.

Os ydych chi yn delio gyda marwolaeth fel rhan o deulu mewn profedigaeth, peidiwch â synnu os bydd mwy o anghytuno rhyngoch yn awr na'r hyn sy'n arferol yn y teulu. Yn aml, ar ôl profedigaeth, bydd unrhyw ddrwgdeimlad oedd yn bodoli eisoes o fewn y teulu yn mynd yn fwy. Pe bai gan frawd neu chwaer unrhyw ymdeimlad o genfigen neu ffafriaeth ers blynyddoedd gall y teimladau hyn o annhegwch neu gasineb ffrwydro i'r wyneb ar ôl marwolaeth rhiant. Gall y tensiynau rhwng aelodau o'r teulu waethygu oherwydd materion ariannol, neu eiddo neu anghytundeb am yr ewyllys, neu fod honiadau nad oedd y cyfrifoldebau teuluol wedi eu hysgwyddo yn deg. Er enghraifft, efallai bod merch oedd yn byw yn agos at ei mam oedrannus yn teimlo'n ddig tuag at ei brawd oedd yn byw 200 milltir i ffwrdd gan nad oedd wedi ysgwyddo'r cyfrifoldeb o ofalu am ei fam. Efallai bod y mab ar y llaw arall yn teimlo'n euog nad oedd wedi llwyddo i gyrraedd mewn amser cyn i'w fam farw. Gall costrelu'r teimladau mewnol hyn achosi ffrae ofnadwy rhwng y ddau am eiddo'r fam, ffrae sydd llawer dyfnach na'r anghytuno am yr eiddo dan sylw ar y pryd.

'Alla i fyth faddau i fi fy hun ...'

Gall fod yn anodd iawn i chi ddelio â chi eich hunan os ydych yn tueddu i feio eich hunan, teimlo'n edifar ac euog am rywbeth. Efallai eich bod yn teimlo na allwch gael gwared â'r teimladau hynny. Mae rhai pethau yr hoffech pe byddech wedi eu gwneud neu heb eu gwneud, penderfyniadau a wnaethoch na ellir eu dadwneud, pethau y gwnaethoch chi eu dweud neu na chawsoch gyfle i'w dweud. Efallai ei bod yn ystrydeb i'ch atgoffa bod gwir angen i chi faddau i chi eich hun, ond diau y canfyddwch gam wrth gam y byddwch yn ymddatod o'r angen i feio eich hun gan dderbyn i chi wneud eich gorau glas ar y pryd. Mynnwch gredu eich bod 'yn ddigon da' fel ffrind, mab, merch, rhiant neu gymar a gwnaethoch eich gorau o fewn cyfyngiadau dan yr amgylchiadau.

Gall maddau i chi eich hun fod yn broses hir, a gall cyflawni rhai pethau'n symbolaidd eich helpu yn y broses. Gall hyn eich galluogi i nodi rhai newidiadau arwyddocaol neu gyfnodau, neu deimladau trwy wneud rhywbeth corfforol sy'n symbolau o rywbeth emosiynol neu ysbrydol. Dyma rai pethau y gallwch ystyried eu gwneud:

- Ysgrifennu rhai pethau ar bapur ac yna eu claddu, eu llosgi neu eu rhwygo'n nhw ddarnau.
- Gollwng poblenni bach i mewn i ddŵr fel symbol o bethau rydych chi yn edifar amdanynt.
- Adeiladu pentwr o gerrig i nodi newid yn eich teimladau.
- Tocio neu blannu rhywbeth.
- Gwneud cwlwm neu ddau mewn rhaff ac yna eu datglymu.

Pennod 9
Mwynhau bywyd eto

Yn y bennod ddiwethaf buom yn trafod euogrwydd. Efallai eich bod yn teimlo'n euog am eich bod yn dechrau mwynhau bywyd eto – neu oherwydd nad oeddech chi ddim wedi peidio mwynhau pethau yn y lle cyntaf. Mae rhywun roeddech chi yn ei garu wedi marw, ond rydych chi yn dal i gael blas ar fwyd neu gerddoriaeth a phethau eraill. Rydych chi'n chwerthin ar rai rhaglenni ar y teledu, yn ymuno yn yr hwyl yn y swyddfa, ac mae gennych ddiddordeb byw yn llwyddiant eich tîm pêl-droed/rygbi – ac yna fe deimlwch yn annifyr oherwydd eich bod am foment fach wedi anghofio eich bod mewn galar ac yn drist.

Euogrwydd goroesi

Efallai y byddwch yn teimlo gan fod rhywun wedi marw nad oes gyda chi'r hawl i fwynhau bywyd eto neu fod eich pleser rywfodd yn dangos amarch tuag at yr ymadawedig. Mae hyn yn ymdebygu i euogrwydd a deimla rhai sydd wedi osgoi marwolaeth neu ddolur mewn digwyddiad lle mae eraill wedi marw. *Pam dylwn i fyw pan fo eraill wedi colli eu bywyd?*

Efallai eich bod yn ymwybodol fod y person a fu farw yn methu rhannu'r pleserau rydych chi'n eu mwynhau a gwna hynny i chi deimlo'n anghyffordddus ac anniddig. Bydd rhywun sy'n adeiladu dyn eira gyda'i fab yn sylweddoli yn sydyn ac yn teimlo'n euog na fydd ei frawd a fu farw yn ddi-blant fyth yn cael y profiad hyfryd hwn.

Beth sy'n 'briodol'?

Mae diflaniad llawer o'r canllawiau a'r disgwyliadau traddodiadol ynghylch profedigaeth efallai yn cynyddu eich pryder ynghylch beth yw ymddygiad priodol. Yn y gorffennol, doedd chwerthin ac adloniant ddim yn cael ei gymeradwyo yn ystod cyfnod swyddogol y galaru. Byddai rhai gweithgareddau yn annerbyniol neu'n cael eu hosgoi yn llwyr. Erbyn hyn does dim canllawiau clir a phendant. Felly sut mae modd i chi wybod a yw'n dderbyniol i chi fynd ar wyliau neu ymweld â'r sinema? Sut gallwch wybod a yw'n dderbyniol i chi chwerthin neu fynd i ddawns neu fynd i'r dafarn? Fel gyda'r rhan fwyaf o bethau, chi eich hun sy'n gwybod orau, felly peidiwch â chaniatáu i bobl eraill wthio eu hagenda arnoch chi neu eich gorfodi beth i'w wneud neu beidio â'i wneud. Efallai yn wir na fyddwch yn teimlo fel mynd i barti neu fynd allan am bryd blasus o fwyd, ond os oes gennych awydd mynd, yna ewch allan ar bob cyfrif.

Bod mewn galar ac allan ohono

Mae'n hollol normal i chi symud o fod mewn galar i fod allan ohono; mewn gwirionedd mae angen gorffwys ar eich system, felly bydd unrhyw beth y gallwch ei wneud i ymlonyddu ac ymlacio o fudd i chi yn y tymor hir. Mae'n ofynnol iawn i blant sydd mewn galar fwynhau eu hunain a chael cyfle i chwarae. Mae angen rhoi'r rhyddid a'r caniatâd iddynt wneud hyn trwy eu cadarnhau nad oes rheidrwydd arnynt i deimlo'n drist trwy'r amser.

Chwalu'r Myth

Ddylwn i ddim chwerthin pan dwi mewn profedigaeth – mae'n dangos diffyg parch.

Mae chwerthin yn gallu bod yn therapiwtig iawn. Mae'n gymorth i ryddhau tensiwn ac yn rhan bwysig o'r broses o ymdopi gyda'r cyfan. Mae chwerthin uwchben pethau absŵrd yn gyffredin ac yn naturiol ymhlith teuluoedd sy'n ymdrechu i ddelio gyda phrofedigaeth, yn arbennig felly os oedd yr ymadawedig yn un oedd yn chwerthin cryn dipyn neu yn mwynhau ambell i jôc dda!

Ambell dro mae'n help i chi sylweddoli bod yr hyn rydych chi yn ei fwynhau yn rhywbeth y byddai'r ymadawedig yn ei ddymuno. *Byddai wedi dymuno i fi fynd, . . . byddai am i fi fod yn hapus . . .* Mae'r ymwybyddiaeth bod yr hyn rydych chi yn ei fwynhau – prydferthwch yr ardd, drama ddifyr, y cyffro mewn rhyw gêm – yn rhywbeth y byddent hwy yn ei fwynhau hefyd. Gall hyn fod yn felys chwerw, yn gysur ac yn dristwch yr un pryd. Mae'r union fwynhad rydych chi yn ei brofi yn naturiol yn eich atgoffa am yr hyn sydd wedi ei golli, a'ch dyhead i rannu'r mwynhad gyda'r ymadawedig, yn tanlinellu poen y golled a'u habsenoldeb. Ond mae eich dyfalbarhad i fwynhau pethau yn gadarnhad ac yn ddathliad o'ch bywyd chi a'u bywyd nhw. Cofnodir hyn yn hyfryd iawn yn y pennill Saesneg adnabyddus ac anhysbys, 'Though I am dead':

> *Laugh and be glad*
> *for all that life is giving,*
> *and I, though dead,*
> *will share your joy in living.*

Mae gwneud pethau ar eich pen eich hun yr hyn roeddech yn arfer ei wneud gyda'ch gilydd yn gallu bod yn anodd iawn, fel mynd i leoedd a oedd yn golygu llawer i chi eich dau. Fe gofiwch efallai hen gân Bing Crosby 'I'll be seeing you in all the old familiar places', sy'n disgrifio sut mae lleoedd arbennig sy'n adfer yr atgofion am yr ymadawedig yn gallu bod yn boenus o wir. Gall dychwelyd i le arbennig fod yn brofiad torcalonnus, felly ystyriwch fynd â rhywun gyda chi a chaniatewch ddigon o le ac amser i chi ymdopi gyda'ch tristwch. Mae'n debygol y bydd yr eildro yr ewch yno yn haws i chi.

Teimlo'n fwy byw

Beth os nad ydych chi yn ymdeimlo ag unrhyw euogrwydd o gwbl? Beth os yw profedigaeth wedi cynyddu eich archwaeth am fywyd? Fe all fod marwolaeth rhywun arbennig wedi miniogi eich gwerthfawrogiad o'r pethau roeddech yn arfer eu mwynhau yn flaenorol. Gan eich bod yn awr yn fwy ymwybodol pa mor fregus yw bywyd, ynghyd â'r ffaith y gall bywyd ddod i ben yn ddisymwth, byddwch yn fwy tebygol o fwynhau bywyd yn llawnach yn y presennol tra bo hynny'n bosibl. Byddwch yn gwerthfawrogi yn fwy prydferthwch gwahanol bethau. Byddwch yn trysori amseroedd dedwydd gyda theulu a ffrindiau. Byddwch yn cael mwy o flas ar eich hoff fwydydd. Byddwch yn ymdaflu eich hun yn fwy eiddgar i wahanol weithgareddau. Efallai yn wir y byddwch yn fwy mentrus gyda rhai pethau ac yn crefu am lif yr adrenalin, sydd yn rhoi gwefr gynyddol i chi. Mae hyn yn normal hefyd. Rydych yn dathlu'r ffaith eich bod yn fyw, ac yn herio marwolaeth. Roedd menyw a oedd wedi colli ei gŵr yn ei chwedegau cynnar, ychydig fisoedd ar ôl iddo ymddeol, wedi cynllunio a gobeithio cyflawni a mwynhau cymaint o bethau ar ôl ymddeoliad ei gŵr. Ei chyngor i bawb yw, 'Y dyddiau hyn rwy'n dweud wrth bawb, *Gwnewch e nawr.* Gwnewch bethau tra gellwch chi.'

Mae'r hil ddynol yn rhyfeddol o wydn, a gall yr ysbryd dynol ganfod elfen o lawenydd a mwynhad hyd yn oed yng nghanol amgylchiadau trasig iawn. Ysgrifenna Elisabeth Kubler-Ross yn angerddol ar ôl iddi weld lluniau o loÿnnod byw wedi eu sgathru ar waliau gwersyll carchar poenydio Natsiaidd: 'As I walked through the huge barracks where people were housed in animal-like conditions, I noticed carvings on the walls . . .There was one image repeated over and over again – the image of butterflies . . . a symbol of transformation . . . of life continuing no matter what.'

Yn yr wythnosau, misoedd a'r blynyddoedd ar ôl profedigaeth mae'n debygol byddwch yn canfod eich hun yn symud o dristwch i fwynhad, ac ar adegau byddwch yn gorfod goddef llawer o emosiynau croes i'w gilydd yr un pryd. Efallai byddwch yn chwerthin yn iach un foment ac yn crïo'r funud nesaf, ceisiwch beidio poeni yn ormodol am hyn. Wrth i chi lwyddo i gael mwy o drefn ar eich bywyd unwaith eto, bydd eich gallu i fwynhau bywyd yn cryfhau ac yn gwella yn y man.

Beth mae pobl yn ei ddweud:

Mae'r actores Sheila Hancock yn ysgrifennu am farwolaeth ei gŵr yn ei llyfr *The two of us: My life with John Thaw*:

> 'Noticed it is a beautiful spring day. And I hate it because he can't see it. That's a waste. I have to learn to see the blossom. For myself, not just to tell John...I have always been in his shadow and never minded much when he was alive but now he's not here in person to cast the shadow and I need to get in the sun on my own.'

Ychydig fisoedd yn ddiweddarach mae'n sylwi ei bod yn dechrau mwynhau pethau eto ac yn ysgrifennu:

> 'I'm groping my way out of the dark. I accept every invitation I get and force myself out and about. Come on, girl, get your act together. This is it. Make the most of it before you lose it. Life, I mean.'

Pennod 10
Ailgydio mewn bywyd

Er bod rhai pobl yn datgan eu bod *wedi dod dros y brofedigaeth*, awgrymwyd ym mhennod 4 nad hyn efallai yw'r ffordd orau i ddadansoddi eich sefyllfa.

Mae **ailgydio mewn bywyd** efallai yn well delwedd o'r broses o addasu eich bywyd ar ôl colli rhywun agos atoch – llwyddo i godi eich pen uwchben y dŵr yn hytrach na suddo. Mae'r dŵr yn dal yno, fel y mae eich colled yn dal yno, ond erbyn hyn rydych chi yn ymdopi â'r golled yn well; dydych chi ddim yn suddo.

A oes terfyn i'r galar?

Efallai eich bod yn dyfalu a fydd diwedd ar y cyfnod hwn o alaru, ac a fyddwch byth yn stopio galaru. Y gwir ydyw bod galar yn gallu para am oes – does dim diwedd iddo mewn gwirionedd – ond yn ôl pob tebygolrwydd fe fydd ymwybyddiaeth ynoch fod y boen yn lleddfu yn raddol a'r emosiynau dwys yn lleihau rywfaint. Disgrifia rhai pobl hyn fel y teimlad o ddod allan o rywbeth; dod allan o le tywyll i le llawn golau. Mae'n bosibl y byddwch, gam wrth gam, yn canfod rhai o'r symptomau y buom yn eu trafod – fel yr anhawster i gysgu yn esmwyth, teimlo eich bod ar goll, teimlo yn ddi-drefn, teimlo'n anobeithiol, diffyg egni, teimlo'n sâl oherwydd y straen, dicter, yn ddagreuol – yn effeithio arnoch dipyn yn llai nag a wnaethant. Nid yw hyn yn golygu o reidrwydd na fydd tonnau o alar yn eich llorio o dro i dro, ond fe ddylech sylwi eich bod yn gwella'n raddol yn y ffordd rydych chi'n teimlo a'r modd y medrwch ymdopi gyda gofynion beunyddiol bywyd.

Ym 1997 dyfeisiodd y seicolegydd o Awstralia, Paul C. Burnett, ddull o fesur i ba raddau y mae pobl yn cael adferiad yn dilyn eu profedigaeth. Mae ei holiadur *Bereavement Phenomenology Scale* yn gofyn cyfres o gwestiynau fel: 'A yw meddyliau am X yn dod i'ch meddwl p'un rydych yn dymuno hynny neu beidio?' [Mae X yn cyfeirio at yr ymadawedig], 'Pan fyddwch chi'n breuddwydio am X a ydych chi'n teimlo bod X yn dal yn fyw?' ac 'A ydych chi'n hiraethu / dyheu am X unwaith eto?'. Mae cyfranogwyr yn ticio atebion sy'n amrywio o 'Trwy'r amser' neu 'Cryn dipyn o'r amser' i 'Ambell waith' a 'Byth'. Defnyddia seicolegwyr yr atebion rhifyddol i ganfod a yw'r person mewn profedigaeth yn gwneud cynnydd ac yn dechrau teimlo'n well. Wrth gwrs, does dim fformiwla sut mae hyn yn gweithio yn iawn; does dim patrwm i 'ymddygiad normal' fel y cyfryw, ac – fel y gwelsom yn barod – does dim amser penodol i symud o 'Trwy'r amser' i 'Byth', os yn wir y cyrhaeddir 'Byth' o gwbl.

Ail-flasu bywyd

Wrth i'r profiadau sydd ynghlwm wrth brofedigaeth beidio â dylanwadu cymaint ar eich bywyd, byddwch yn ymwybodol eich bod yn dechrau ail-flasu bywyd unwaith eto. Gobeithio y byddwch yn ailddechrau cynllunio ar gyfer y dyfodol ac yn dechrau edrych ymlaen at ddigwyddiadau o ddiddordeb i chi. Gobeithio y byddwch yn cymryd mwy o ddiddordeb mewn pobl eraill ac yn ailgydio ar gael blas ar fyw. Os ydych chi wedi colli cymar, efallai y byddwch yn cwrdd â rhywun arall yn y man neu o leiaf ni fyddwch yn dal i deimlo bod y posibilrwydd o hynny'n digwydd yn annerbyniol. Wrth gwrs, does dim 'amser iawn' i hynny ddigwydd. Mae rhai pobl yn ystyried cael perthynas newydd â rhywun o fewn blwyddyn neu ddwy i'r brofedigaeth tra bo eraill ddim am ystyried hynny am bump neu ddeg neu ragor o flynyddoedd ar ôl y brofedigaeth. Mae'r rhai sy'n cwrdd â rhywun neu'n priodi yn hwyr neu'n hwyrach yn parhau i alaru o fewn cwlwm cariad a chefnogaeth y berthynas newydd, gan ganfod bod caru'r cymar ymadawedig a charu'r cymar newydd yn hollol bosibl.

Os cewch chi eich hunan mewn sefyllfa debyg i hyn, peidiwch â gadael i ymateb pobl eraill effeithio arnoch yn ormodol. Mae rhai pobl o'r tu allan yn llawer rhy barod i feirniadu a busnesu os ydyn nhw yn ystyried bod eich dewis yn 'annerbyniol' ac yn 'amhriodol'. Nid yw caru rhywun newydd yn golygu eich bod wedi anghofio'r ymadawedig. Yn union fel rhywun sydd wedi cael baban newydd ar ôl colli plentyn nid yw hynny'n golygu bod y newydd-anedig yn cymryd lle'r un a fu farw. Yn syml, rydych yn ailafael mewn bywyd ac yn ailddarganfod byw bywyd gydag agwedd bositif. Byddwch yn ofalus, er hynny, rhag gwneud penderfyniadau byrbwyll cyn eich bod yn hollol barod. [Ceir cyngor da a doeth am berthynas newydd ar ôl profedigaeth ar y we www.merrywidow.me.uk].

Chwalu'r Myth

I ddod dros brofedigaeth rhaid gollwng gafael a symud ymlaen.

Mae'r termau 'gollwng gafael' a 'symud ymlaen' yn aml yn cael eu defnyddio mewn perthynas â phrofedigaeth ac adferiad. Ambell dro, bydd ffrindiau a pherthnasau yn ddiamynedd ynghylch hyd yr amser y mae galaru yn ei gymryd yn eich achos chi, gan awgrymu mai'r allwedd i wneud 'cynnydd' yw anghofio'r ymadawedig – i roi'r berthynas y tu ôl i chi ac ailgychwyn o'r newydd.

Yn ystod yr wythdegau dywedodd y seicolegydd J. William Worden, Athro yn Ysgol Feddygol Prifysgol Harvard, y gellir disgrifio profedigaeth yn nhermau pedair tasg sy'n gorgyffwrdd â'i gilydd. Y dasg olaf oedd, 'Adleoli yr ymadawedig yn emosiynol ac i symud ymlaen â bywyd' ('To emotionally relocate the deceased and to move on with life'.) Ystyr yr 'adleoli' hwn yw ymaddasu o berthynas gyda pherson byw i berthynas â pherson nad yw bellach yn bresennol yn gorfforol, ond nid yw hyn yn golygu anghofio'r ymadawedig nac ychwaith dibrisio eu harwyddocâd yn eich bywyd.

Gwnaed ymchwil pellach ym 1996 gan Klass, Silverman a Nickman a bwysleisiodd bwysigrwydd 'y cwlwm parhaol' gyda'r ymadawedig. Yn hytrach na meddwl yn nhermau 'torri'r cwlwm' maen nhw yn awgrymu mai'r hyn yw'r broses o alaru yw cynnal cwlwm y berthynas gyda'r ymadawedig a fydd ar yr un pryd yn gydnaws â sefydlu perthynas newydd.

A wnaf i anghofio?

Efallai eich bod yn ofni wrth i amser fynd yn ei flaen, ac wrth i symptomau eich profedigaeth leddfu, y byddwch o bosib yn anghofio'r person sydd wedi marw. Efallai byddwch yn ofni eu gadael ymhellach ac ymhellach yn y gorffennol, ac y bydd eu pwysigrwydd yn eich bywyd yn lleihau rywfodd neu'i gilydd gydag amser.

Mae hyn yn bryder digon cyffredin. Dywedodd y bardd a'r arlunydd Laurence Whistler, wrth ysgrifennu am farwolaeth ei wraig, 'Sicrhaodd cyfaill i mi . . . Dylwn ymhen amser ddod drwy'r peth . . . Yr hyn oedd yn annioddefol oedd yr union syniad o 'ddod trwyddi' . . . Eglurder oedd y peth y dyhëwn amdano yn awr . . . Pe bai hi'n diflannu'n llwyr o'm cof, meddyliais, byddai hynny yn ffarwelio go iawn . . .'

Trwy'r adeg, byddwch yn dal i brofi poen cignoeth eich colled, bydd eich atgofion amdano/amdani yn parhau yn finiog ac yn ddwys. Mae'n bosibl, wrth i chi ddechrau teimlo'n well, y byddwch yn ofni y bydd eich atgofion am y person yn mynd yn fwy niwlog. Sut gallwch chi ailgydio mewn bywyd, cychwyn cysylltiadau newydd a symud ymlaen, ac eto yn dal i anrhydeddu pwysigrwydd yr ymadawedig yn eich bywyd a pharhau i gydnabod maint eich cariad tuag atynt?

A fydd y boen yn lleihau?

Os mai yn ddiweddar y cawsoch brofedigaeth, efallai byddwch yn pendroni pryd byddwch yn teimlo rywfaint yn well, os o gwbl, neu pryd bydd y boen yn lleddfu. Fel y pwysleisiwyd ar y dechrau, mae pawb yn unigryw ac ni fydd profiad pobl eraill mewn profedigaeth yn union yr un fath â'ch profiad chi yn bersonol. Wrth gwrs, does dim gwarant y byddwch yn teimlo'n well yn raddol, ond mae'n debygol iawn y byddwch yn y man. Gall fod yn gysur i chi ddarllen am brofedigaethau pobl eraill a sut roedd eu dioddefaint wedi lleddfu gydag amser. Fe ysgrifennodd Jeremy Howe y geiriau hyn ar ôl i'w wraig Elizabeth gael ei llofruddio pan oedd hi yn dri deg pedwar oed.

'Trust your instincts...Take each moment as it comes...And just put one foot forward at a time...you do get through it. And the advice I'd give to people – and it's terribly pat-is, it will get better. It doesn't mean you love that person any the less. It's just that time passes and you adjust to it.'
Dyfynnwyd yn *Relative Grief*

Ac yn olaf. . . cofiwch:

- Cymerwch bwyll gan symud ymlaen gam wrth gam fel y gwelwch orau.

- Mynegwch eich teimladau.

- Trafodwch gydag eraill gymaint ag sydd ei angen arnoch.

- Gwnewch yn siŵr eich bod yn gorffwyso ac yn bwyta yn iawn.

- Peidiwch â gwneud gormod o newidiadau i'ch trefn o fyw yn rhy fuan.

- Derbyniwch gynigion o gymorth gan bobl eraill yn hytrach na brwydro ar eich pen eich hun.

- Peidiwch ag ofni gofyn am gymorth proffesiynol os ydych chi'n teimlo nad ydych chi'n symud ymlaen o gwbl neu eich bod rywfodd neu'i gilydd yn gaeth yn yr unfan.

Uwchlaw pob dim, *gwnewch yr hyn sydd orau yn eich tyb chi*. Chi sy'n gwybod orau.

Ar gyfer y teulu

Proses unig iawn yw profedigaeth y mae'n rhaid i'r unigolyn ei wynebu a'i ddioddef ei hun – er hynny, mae ffrindiau a pherthnasau yn gallu gwneud gwahaniaeth sylweddol i'ch cefnogi a'ch cynnal ar hyd y daith anodd.

Cofiwch, ni allwch gymryd y boen oddi ar yr un sydd mewn profedigaeth na newid realiti creulon eu colled. Ond mae llawer o bethau y gallwch chi eu gwneud . . .

Byddwch yn ymarferol

Mae cymorth ymarferol, yn arbennig yn ystod y dyddiau cyntaf ar ôl y brofedigaeth yn gallu bod yn werthfawr tu hwnt.

- Gallwch anfon cerdyn neu lythyr gan gynnwys atgofion a hanesion difyr am yr ymadawedig. Peidiwch â phoeni os na wyddoch beth i'w ddweud – dywedwch rywbeth. Mae'n debygol y bydd eich geiriau yn cael eu trysori am amser maith wedyn.

- Cynigiwch gymorth – ffoniwch nhw a dweud, 'Dwi ar fy ffordd i siopa; alla i gael rhywbeth i chdi i de?' neu 'Gad i fi alw am dy waith smwddio, bydd hynny'n un peth llai i ti feddwl amdano.' Os dywedwch rywbeth rhy agored – 'Rho wybod i fi os wyt am i fi wneud unrhyw beth' – y tebygrwydd yw na fyddan nhw yn gofyn am ddim i chi, oherwydd dydyn nhw ddim yn meddwl yn glir am rai pethau ac anodd yw gwneud unrhyw benderfyniadau, neu eu bod yn teimlo'n lletchwith i ofyn am help gan neb.

- Galwch heibio yn ddirybudd gyda blodau, bwyd neu ddillad glân – os ffoniwch ymlaen llaw, efallai byddan nhw yn dweud eu bod nhw'n iawn er efallai nad yw hynny'n hollol wir. Ond peidiwch â chael eich siomi os byddan nhw yn dweud nad yw'n gyfleus ar y pryd ar ôl i chi alw heibio. Rhowch gadarnhad o'ch cariad a'ch gofal amdanynt gan ddweud y byddwch yn galw draw eto pan fydd yn fwy cyfleus. Gofynnwch pa adeg fydd orau iddyn nhw.

- Paratowch bryd o fwyd neu brynu pryd heb ddweud dim ac ewch â'r pryd i'w cartref. Mae'n debygol na fydd ganddyn nhw ryw lawer o chwant bwyd – neu ni fydd ganddyn nhw lawer o awydd paratoi pryd o fwyd iddyn nhw eu hunain – felly, o leiaf, gallan nhw roi eich bwyd yn yr oergell dros dro. Meddai'r newyddiadurwraig Emma Freud wrth ysgrifennu yn y *Guardian* ar ôl marwolaeth ei thad, 'When someone dies, send a present – any present, but preferably cake.'

- Cadwch gwmni iddyn nhw. Gall y cynnig syml i fod gyda nhw neu hyd yn oed gysgu yn yr ystafell sbâr am ychydig o nosweithiau er mwyn sicrhau na fyddan nhw'n teimlo'n hollol unig fod o help. Ambell dro mae cael person arall wrth law yn gallu bod o gymorth.

- Bydd cael eich cwmni pan fyddan nhw yn gorfod wynebu tasgau anodd fel cofrestru'r farwolaeth, casglu'r llwch, neu ddidoli dillad a phethau eraill yn gymorth gwerthfawr.

Ar ôl y dyddiau a'r wythnosau cyntaf mae llawer o bethau y gallwch chi barhau i'w gwneud i gefnogi'r person mewn profedigaeth:

- Gallwch wneud ymdrech i gofio achlysuron arbennig – fel y dyddiad pan gafwyd y diagnosis cyntaf am yr afiechyd, dyddiadau pen-blwydd, Sul y mamau/tadau. Bydd anfon cerdyn neu flodau neu neges testun yn galondid i'r rhai mewn galar bod rhywun yn dal i feddwl amdanynt.

- Cofiwch wahodd y gŵr neu'r wraig weddw i achlysuron cymdeithasol neu ddathliadau. Mae llawer o'n cymdeithasu yn tueddu i fod ar gyfer cyplau yn bennaf. Ceisiwch feddwl am ffyrdd creadigol i gynnwys y rhai mewn galar fel y byddwch yn lleihau eu hymdeimlad eu bod yn cael eu hynysu'n gymdeithasol.

- Cadwch mewn cysylltiad – galwad ffôn, galw heibio'r cartref, trefnu i fynd am dro yn yr awyr agored neu fynd allan am goffi. Yn aml mae pobl mewn profedigaeth yn ymdeimlo ag unigrwydd dwys fisoedd ar ôl y brofedigaeth, pan fo llai o gymorth a chefnogaeth yn cael ei gynnig iddynt.

Ar wahân i'r pethau ymarferol, bydd eich cyfeillgarwch a'ch cefnogaeth emosiynol yn amhrisiadwy wrth iddynt fynd trwy'r broses o ymaddasu eu bywyd ar ôl y golled. Mae pob perthynas rhyngom yn gweithredu mewn ffyrdd amrywiol, ac mae'n debygol mai chi sy'n gwybod beth sydd orau i gwrdd ag anghenion yr un sy'n galaru, ond dyma i chi awgrymiadau a all fod yn ddefnyddiol ynghylch rhai pethau y dylech ystyried eu gwneud a phethau na ddylid eu gwneud.

Gwnewch hyn

- Gofynnwch iddyn nhw beth yn union maen nhw ei wir angen, yn hytrach na chymryd yn ganiataol eich bod yn gwybod yn barod.

- Anogwch hwy i drafod pethau, ond parchwch eu dewis i beidio os nad ydynt yn dymuno hynny.

- Caniatewch iddyn nhw fod yn hollol onest.

- Caniatewch iddyn nhw fynegi eu tristwch neu eu dicter heb i chi eu barnu neu fynnu eu bod yn 'meddwl yn bositif'.

- Caniatewch iddyn nhw alaru ar eu pen eu hunain yn eu hamser eu hunain.

Beth mae pobl yn ei ddweud:

'I didn't expect much. I didn't need flowers, or home-made shepherd's pies, or lectures about positive thinking. All I wanted was for people to look my pain in the face. So very simple – but, as I discovered, so very rare.'
Novelist Alice Jolly

Peidiwch â gwneud hyn:

- Peidiwch â cheisio eu hosgoi oherwydd nad ydych chi'n siŵr beth i'w ddweud neu eich bod yn ofni eu tramgwyddo nhw. Ymdeimla rhai mewn profedigaeth eu bod yn cael eu hanwybyddu gan eraill. Gwnewch ymdrech i gwrdd â nhw wyneb yn wyneb a chychwyn sgwrs er mor anodd yw hynny.

- Peidiwch â newid y sgwrs os ydyn nhw am siarad am y person sydd wedi marw gan gynnwys amgylchiadau a manylion y farwolaeth neu sut maen nhw'n teimlo ar y pryd. Caniatewch iddyn nhw adrodd yr un storiâu dro ar ôl tro os bydd angen hynny.

- Peidiwch â dweud, 'Dwi'n gwybod sut rydych chi'n teimlo', oherwydd go brin fod hynny'n wir. Er efallai eich bod wedi cael profiad tebyg, ond ni fydd yn union yr un peth â'u profiad nhw.

- Peidiwch â meddwl bod yn rhaid bod gennych atebion, neu y gallwch wneud unrhywbeth yn well, ond byddwch yn barod i eistedd yn 'waglaw' a gwrando'n unig – hyd yn oed os ydych yn barod i redeg i ffwrdd oherwydd bod y sefyllfa'n rhy annifyr.

- Peidiwch â dweud wrth bobl sut i ymddwyn neu sut y 'dylen nhw fod yn teimlo'. Cofiwch fod pob un yn wahanol.

- Peidiwch â chymryd y peth yn bersonol os byddan nhw yn anodd eu trin a'u bod yn annifyr, yn anniddig ac yn afresymegol. Cyfeillion gorau pobl mewn profedigaeth yw'r rhai sydd â chroen eliffant gyda chymeriadau cadarn. Ar ôl eu gwahodd i wneud rhywbeth a hwythau'n gwrthod gan ddweud nad ydynt yn teimlo fel gwneud y peth, gofynnwch iddyn nhw ar ddiwrnod arall. Peidiwch â chael eich siomi.

- Peidiwch â dweud pethau gwirion. Peidiwch â dweud wrth fenyw sydd wedi colli ei babi ar ei enedigaeth i beidio â phoeni oherwydd gall hi gael un arall eto. Peidiwch â dweud wrth ŵr sydd newydd golli ei wraig ei fod yn debygol o gwrdd â rhywun arall cyn bo hir.

Peidiwch byth â dweud wrth bobl mai er gorau oedd y farwolaeth. Mae'n siŵr eich bod yn meddwl eich bod yn ceisio helpu trwy wneud synnwyr o rywbeth disynnwyr, ond os oes rhywbeth jyst yn dolurio, yna y mae'n *wir ddolurio*.

Os ydych chi'n cynorthwyo a chefnogi teulu cyfan trwy gyfnod eu profedigaeth, byddwch yn ymwybodol efallai y bydd aelodau o'r teulu yn ymateb yn wahanol i'w gilydd ac efallai bydd ganddynt anghenion gwahanol iawn i'w gilydd all arwain at wrthdaro. Ymdrechwch i dreulio amser gyda'r teulu ar wahân fel unigolion er mwyn sicrhau digon o gyfle iddyn nhw alaru yn eu ffordd eu hunain. Er enghraifft, bydd mynd â phlentyn allan am y dydd yn rhoi cyfle gwerthfawr i'r plentyn i ddweud rhai pethau na fyddai am eu dweud o flaen ei rieni neu weddill y teulu sydd hefyd yn galaru. Neu gallwch drefnu bod rhywun yn gofalu am blentyn y rhiant sydd mewn galar er mwyn i chi eich dau gael cyfle i siarad yn agored am y sefyllfa heb fod hynny yn amharu ar y plentyn. Efallai bydd grwpiau neu asiantaethau yn eich cymdogaeth sy'n cynnig cefnogaeth i deuluoedd mewn profedigaeth neu eu bod yn trefnu digwyddiadau achlysurol ar gyfer rhieni a phlant sydd yn mynd trwy'r broses o alar. Bydd eich ymdrech chi i ddarganfod digwyddiadau neu rwydweithiau fel hyn yn gam pwysig i chi annog eich ffrind i dderbyn cymorth ymarferol gan y ffynonellau hyn.

Dysgu a deall

Beth bynnag yw eich sefyllfa chi a phwy bynnag rydych chi'n ei gynorthwyo, gorau po fwyaf rydych chi'n ei ddeall am y broses o alaru. Bydd darllen penodau cychwynnol y llyfr hwn yn eich helpu i iawn ddeall a gwerthfawrogi beth mae eich perthynas neu eich ffrind yn gorfod ei ddioddef.

Yn olaf, cofiwch fod y weithred o fod yno gyda'ch ffrind sydd mewn profedigaeth – yn y chwerthin a'r wylo a rhannu atgofion a chamu mlaen gam wrth gam – yn helpu llawer mwy na'r hyn rydych yn ei feddwl.